KB099517

波浪聲

너를 너무 보고 싶어. 내가 바닷물을 전부 먹어버리면 너와 마주 누울 수 있겠지. 하지만 그러면 네가 말라버리는걸. 네가 건조되기 전에 내가 젖을게. 지구의 눈물을 나에게 줘. 물을 머금어 무거워진 내가 보이면, 그때 날 끌어안아 줘.

이 세상은 동화와 같아졌다. 숲속에는 사과와 일곱 난쟁이, 호수에는 백조가, 늦은 밤 창문에는 작은 요정이 날아드는 그런 세계. 그게 내가 존재하던 세계이다. 입김 새는 저녁 골목길에 떠도는 성냥을 파는 낡은 소녀, 길을 가는 이상하게 사람 같은 당나귀와 말하는 고양이, 이상하게 너무나도 빠른 호박마차, 그리고….
물빛에 비쳐 가지각색으로 빛나는 꼬리, 투명한 웨딩 베일 같은 지느러미, 흉부와 목에 새겨진 흉터 같은 아가미, 미역을 닮아 출렁이는 머리칼, 물살을 가르는 얇고 하얀 손가락과 손가락 사이를 잇는 물갈퀴, 마지막으로 심연을 바라보는 듯한 두 덩이의 눈동자. 이 모든 수식어는 모두 하나의 생물을 향한 것이다.
상반신은 사람의 몸을 가졌고 하반신은 물고기의 꼬리가 달린 상상 속의 동물. 인어의 사전적인 뜻이지만, 이 열한 개의 음절로는 설명하기에 한참 부족하다.
당연히 인어의 존재가 알려지자마자, 여러 분야의 사람들이 바닷가로 모여들었다. 생물을 연구하는 과학자, 인어의 형상을 상상을 통해서만 그릴 수밖에 없었던 예술가, 신앙심의 대상이 필요했던 종교인들과 그저 동화에서만 그 존재들을 보고 자기도 그런 존재가 되었다는 상상을 했던, 한때 순수하고 어렸던 모든 사람까지. 모든 이들에게 인어는 풀어버리고 싶은 미스터리이자 영감의 원천, 의지해야만 하는 대상이자 꿈의 형상이었다.

그런데 그것을 아는가, 아름다움은 영원하지 않고, 그걸 인간은 알고 있지만, 그럼에도 갈망한다는 것을. 어느새 금속으로 만든 딱딱하고 차가운 무기들이 해안에서 모습을 드러내기 시작했다. 차가운 바다와 차가운 무기, 이 얼마나 음양에 어긋나는 이질적인 한 쌍인가. 인어의 인간성을, 생명을 논한답시고 날을 세우던 이들도 똑같은 인간이기에, 한순간에 모든 사람이 인어의 아름다움을 보존하고자 한다는 궁극적인 목표를 동시대에 세우고 실행하게 되었다. 지느러미의 아름다운 생명체들은 어느 순간 바다에서 자취를 감추었다. 욕구 실현이 불가능해진 사람 중 몇은 포기하고 다시 현실적이고 딱딱한 시절의 모습으로 되돌아갔지만, 아직도 환상에 젖어 악한 방법으로 이를 실현하는 사람들은 여전히 남아 인어들을 괴롭혔다.

인어도 사람이라고 할 수 있다고 가정하면, 소위 범죄를 서슴지 않고 저지르는 수많은 납치범 중 한 명의 뇌리에 어떤 극악하고 잔인한 생각이 스쳤다. 인어 양식장을 만들자는 것이었다. 양식장. 수산물을 인공적으로 기르는 곳. 사람들은 이제 인어를 같은 존재가 아닌 '가축', 즉 '소유물'로 보기 시작했다. 지느러미 달린 사람에 대해 관심이 매우 많았던 과학자들은 이들의 꼬리, 살점 등 신체의 일부를 떼어가 차가운 기계에 넣고 이리저리 살펴보더니, 마침내 인어의 수를 늘리는 방법을 알아내고야 말았다. 새로운 아름다움이 발견된 지 불과 몇 년 후, 그 아름다움은 이제 자연이 아니라 인간의 것이어야만 했다.

내가 일하기 시작한 곳은 평범한 생선가게의 모습을 하고 있었다. 하지만 그건 1층의 경우이다. 건물의 제일 뒤에 있는 뒷문으로 들어가 뒤뜰을 하염없이 걷다 보면, 무거운 철로 된 문이 바깥세상과 다른 공간을 철저히 분리하고 있다. 그 무거운 문을 내 무게와 공기의 무게로 힘껏 밀면, 뒤뜰의 푸르고 화창하던 공간과는 다른 어둡고, 칙칙하고, 눅눅한 공간이 나타난다. 6개월 전 양식장의 첫인상은 너무나도 축축했다. 제대로 된 환기조차 불가능해 숨구멍 몇 개를 통해서 제외하곤 바깥 공기를 마실 수가 없고, 내 전 근무자가 잘 청소하지 않았는지 바닥과 벽 모퉁이에는 까만 물때가 끼어있었다. 먹이 창고는 한참이 지나 지구의 어느 생명체도 소화할 수 없을 것 같이 부패한 음식들이 수두룩했고, 근무자가 쉴 수 있는 작은 의자 하나조차 없었다. 내가 아르바이트를 시작한 건 5년 전. 어리면 어리다고, 많다면 많다고도 할 수 있는 나이에 나는 양쪽 부모님을 모두 잃었다. 사인은 익사. 선박에서 일하시던 두 분은 거대하고 차가운 유람선 안에서 양쪽 폐를 바닷물로 채우시고는 영영 돌아오지 못하셨다. 가족으로 남은 건 우리 집 강아지 소금이 뿐이다. 소중한 내 가족 소금이. 내 밥은 아무래도 상관없지만, 소금이를 굶기기엔 그 애는 너무 따뜻하고 약하다. 설상가상으로 오래 살아서 그런지, 소금이가 점점 쇠약해지자, 남아있던 부모님의 재산으로는 소금이가 살 수 없다는 걸 직감적으로 느꼈다. 그래서 일을 시작했다.
5년 동안의 아르바이트 생활 중 최악의 일터로 꼽힐 뻔했던 그 양식장이 불행인지 다행인지, 내가 들어온 이후로 양식장의 비위생적이고 어둡던 환경은 점점 나아진 것 같다고, 경비원 할아버지께서 말씀하셨다. 당연한 결과다. 그 축축함을 조금이라도 걷어내려고 얼마나 많이 걸레질했는지…. 안 그래도 집에서 짠 내가 나서 그것만으로도 소금이에게 미안해 죽겠는데, 축축한 이곳의 공기까지 옮기고 싶지는 않았다.

나는 이곳의 어느 한 곳도 마음에 드는 구석이 없다. 먼저 국가는 물론 전 세계에서도 금할 정도로 추악한 행동이며, 인간과 유사한 형체의 생물을 상품화하여 판매하는 점이 하나도 좋게 보이지 않는

다. 게다가 정말 싫어하는 것은, 다른 생물들도 자신들끼리 그러는지는 잘 모르겠지만, 한 생물의 기준을 오직 겉모습으로만 평가하는 인간의 좋지 않은 버릇을 애꿎은 인어들에게도 적용한다는 점이다. 이 시장에서 인어들의 평가 기준 1순위는 '생김새'이다. 왜, 인간들도 주변인을 선택하는 1순위가 겉모습인 경우가 다반사이지 않은가. 그걸 자신들끼리 서로 당하고 행하는 것은 딱히 거슬리지 않으나, 아무 죄 없는 생물을 이 기준으로 평가하며, 하물며 이 가치를 위해 쓰이는 수단이 '돈'인 점이 마음에 들지 않는다.

물론 이 사업이 두 번째로 싫은 이유를 합당하다고 생각하기엔 나도 적합한 사람이 아니라는 걸 안다. 자신의 소신을 명확하게 정하고 이를 행동으로 옮기는 사람이 있지만, 그에 반해 소신은 있지만 행동력은 없는 나 같은 사람들이 있다. 나도 이 불법 행위에 동의하지 않지만, '돈'이라는 현실적인 문제에 내 뜻을 펼치지 않고, 오히려 내가 싫어하는 그 행위에 가담하고 있다. 만약 인어 양식 사업이 처벌받게 된다면, 나도 가담 죄로 같이 처벌받는 것을 각오해야 할 것이다.

인어들의 평가기준 1순위는 '생김새'이다. 그들은 인간들에 의해 자신의 이목구비 크기와 위치들을 하나하나 평가당하고, 그 결과 때문에 등급이 찍히게 된다. 그 중 가장 아름답고 값지다고 평가되는 '특급'은 최대 수십억에 달하는 가격에 거래되기도 한다. 특급으로 판정된 인어들은 수십억이 넘는 가격 탓에 대부분 엄청난 부자들의 손에 판매된다. 팔려 간 뒤에 어떻게 되는 지는… 그 거래의 직접적인 관계자들만 알고 있겠지.

매주 월요일에는 새로운 인어들이 양식장에 들어온다. 아니, 입주한다고 해야 할까. 인어들은 말할 수가 없기 때문에, 양식업자들이 무작위로 한 정화조에 여러 인어를 배치한다. 인어들은 그들이 활보하던 바다의 수십 분의 1도 되지 않는 작은 물웅덩이 속에서 의식주를 해결하고, 자신들의 동료가 끌려가는 모습을 보며 자신의 차례가 되는 것을 아무 정보도 없이 공포에 떨며 기다려야 한다.
인어들의 겁먹은 얼굴을 볼 때면 소금이가 생각난다. 초등학교 입학 전이었나, 그때였다. 아직 구구단도 못 땐, 또래 아이들보다 한참 작았던 나보다 더 작은 너를 만난 게. 처음 본 그날 소금이는 자기 몸의 3배도 되지 않아 보이는 작은 박스 안에서 떨고 있었다. 그때의 소금이의 표정을 보면서 얼마나 속상했는지. 그래서 인어들을 보면, 집에서 무거운 몸을 이끌고 걸어 다니다 잠에 들 소금이가 생각난다. 그때 그 아이의 모습 같아서, 내가 소금이를 사랑해 줬던 것처럼 그들을 사랑해 주며 상처를 보듬어줄 사람이 있으면 좋겠기에.
그날도 월요일이었는지, 여러 수의 인어가 양식장에 새로 들어왔다. 그 중엔 2등급 배지를 단 인어도, 3등급 배지를 단 인어도, 특급 배지를 단 인어도 있었다. 그중 금발의 특급 인어와 눈이 잠시 마주쳤다. 잠시였음에도 순간적으로 압도당하는 느낌. 깊지만 반짝반짝 빛나는 두 눈과 찰랑거리는 머릿결, 그리고 새하얀 피부. 역시…. 특급 인어는 이유가 있구나 라고, 생각했다. 거봐, 역시 나도 말은 그렇게 하면서도 역시 그들과 다를 거 없는 인간일 뿐이잖아.
양식업자들이 인어들을 차례대로 정화조에 배치하면, 나와 다른 청소원은 인어들을 하나씩 데리고 샤워실로 들어가 그들을 씻겨야 했다. 오늘도 어김없이 인어들을 하나하나 씻기던 중, 동기 청소원이 급한 호출을 받았다며 황급히 뛰어나가기 시작했다. 나는 약간 당황해서 인어들을 씻기던 손을 잠시 멈추었다. 하지만 이내 정신 차리고 다 씻긴 인어들을 돌려보낸 후, 새로 씻길 인어를 다시 데려왔다. 아까 그 특급 인어였다. 얼굴도 아름다웠지만, 몸의 선이 정말 예쁘구나. 희고 정갈한 상반신과 굴곡 있고 다채로운 색의 꼬리는 완벽한 조화를 이루었다. 마치 장인이 만들어낸 하나의 조각 같다고 생각했다.
“저기, 미안한데… 여기는 뭐 하는 곳이야?”

순간 피가 굳는 듯했다.
누가 말한 거지? 다른 사람이 있었나? 근데 여긴 나랑 저 인어랑 둘 뿐인데. 설마 저 인어가…?
나는 확인해 보려고 못 들은 척 태연하게 행동하려고 했다. 설마 인어가 말한 거라면…? 표정은 숨겼을지 모르지만, 아무리 해도 손의 떨림은 멈추지 않았다.
"저기… 내 말 안 들려? 아, 안 들리려나…."
"저, 저 잠깐! 네가… 네가 말한 거야…?"
내 예상대로 확실히 들어맞았다. 말을 꺼낸 건 인어가 맞았다. 말을 못 하는 인어가 어떻게…?
"뭐, 뭐??? 잠깐… 너 알아들어?"
내가 놀란 거에 비해 인어의 눈은 훨씬 커졌다. 반짝거리던 눈이 왕방울만 한 크기로 변했다.
"쉬이잇!!! 자, 잠시만… 너, 어떻게 말하는 거야? 인어는…"
혹여나 다른 사람에게 들킬까 봐 조마조마했다. 검지 손가락을 손에 가져다가 대면서, 인어에게 조용히 속삭였다.
"그건 무슨 말도 안 되는 소리야…? 인어도 말을 할 수 있어. 인간의 언어로는 못 하지만. 너희 인간들처럼 말도 하고 음식도 먹고 생각도 한다고. 그나저나, 너는 내 말을 어떻게 알아듣는 건데?"
내 앞에 있는 그 존재가 날카롭게 쳐다보며 말을 던졌다. 잠깐, 인어가 말을 한다고?
"나, 나?"
순간 생각해 보았다. 내가 어떻게 인어 말을…?
"모, 모르겠어. 나도 그냥… 아무것도 한 게 없는 걸?"
내 말을 들은 인어는 잠시 고민에 빠진 듯 보였다. 한눈에 봐도 정말 아름다운 외모였다.
"거기, 말소리가 들리는데, 두 명 이상 잡담하면 해고해 버린다고 말하지 않았나?"

관리인 중 한 명이 감시하러 들어왔나 보다. 잠깐, 내가 알아듣는 게 아니라 내 앞에 있는 그가 인간 말을 할 수 있는 거라면…?

“아, 예. 죄송합니다!”

인어의 입을 손바닥으로 막은 후, 관리인의 인기척이 사라질 때까지 숨죽이고 기다렸다. 몇 분이 지났을까, 양식장 문을 열고 나가는 관리인의 질퍽한 장화 소리가 사라졌을 때, 인어의 입을 가리고 있던 손을 떼고는 한 발짝 멀어져 생각을 해보기로 했다. 인어가 말을 할 줄 안다면, 분명 더 위험하고 안 좋은 곳으로 팔려 가게 될 거야. 그런데… 이곳에서 일하는 입장으로서는 어떻게 해야 하지…? 이 사실을 사장에게 알려야 하나 고민하던 찰나, 인어는 나를 올려다보며 가까이 다가왔다.

“저기, 미안한데…”

순간 가까워진 거리에 놀라 뒷걸음질 쳤다.

“아아, 놀라게 하려던 건 아니야! 미안… “

인어는 내게 미안한 듯 풀이 죽어 보였다. 덩달아 미안해진 마음에 한 발짝 더 다가갔다.

“아냐. 나야말로 미안해. 그래서 하려던 말은 뭐야…?”

“아, 그러니까… 다른 인간들한테는 비밀로 해주면 안 될까? 사실 아까 내 친구들이 어딘가로

끌려가는 걸 봤어. 나도 곧 그렇게 되겠지만… “

인어는 공포에 질린 눈으로 말을 계속 이어갔다.

“내가 인간 말을 할 줄 아는 것 같아. 그러면 난 다른 친구들보다 더 위험한 곳에 가게 될지도 몰라… 난 그게 너무 무서워. 그러니까 내가 말을 할 수 있다는 걸 숨겨주면 안 될까? 이미 팔려 가야 하는 운명인데, 최대한 안전한 곳에 팔려 가고 싶어.”

이미 자신의 운명을 알고 있는 인어를 보니 마음이 무거워졌다. 인어들도 알고 있었구나. 자신이 인간들에 의해 사고 팔려갈 것이라는 걸. 순간 인어들이 강아지들과 비슷하게 보였다. 소위 ‘강아지 공장’

이라 불리는 번식장에서 말도 안 되는 환경에서 생활하다가 인간들의 욕심의 산물인 돈으로 팔려 가지 않는가. 설령 팔려 가는 데에 성공했다고 해도, 가족이 아닌 '장난감'과 같이 인식하여 관리가 힘들다며 길가에 내던져질 수도 있는 위태로운 운명. 각자의 인생의 자유를 무시당한 채 한 존재의 욕심만을 충족하기 위해 희생된다는 것이 인어나 강아지나 똑같다는 생각이 들었다.
순간 집 안 내 방에 있는 작고 낮은 침대 위에서 무기력하게 누워 있을 소금이가 떠올랐다.

소금이를 데려온 건 부모님의 장례식을 마치고 돌아가는 길이었다. 그날은 축축하고 질퍽하며, 비가 쏟아지듯 오는 날이었다. 검은 옷을 입고 사람들이 꽉 찬 버스를 탄 나는 유리창에 고개를 묻은 채 집을 향해 달려가고 있었다. 차 안은 사람들의 숨소리와 차 표면에 빗줄기가 부딪히는 소리, 그리고 낡은 버스 바퀴의 삐걱거리는 소리로 가득 차 있었고, 부모님이 이제 안 계신다는 생각 때문인지 비가 오기 때문인지 지치고 공허한 느낌만 들었다. 버스는 하차 벨을 울리며 버스 안의 사람들을 하나둘씩 뱉어내기 시작했고, 나만 남을 때까지 그 일을 계속했다. 버스는 종착 지점에 도달했고, 나는 그곳에서 내려 집을 향해 걷기 시작했다. 평소에는 잘만 걷던 오르막길이 오늘은 어깨 위에 바위를 하나 얹은 듯이 너무나도 버거웠다. 깜빡거리는 수십 개의 가로등을 지나며, 나도 이른 시일 내에 저들과 같이 꺼져버릴 것만 같았다.
비가 와서 그런지 길이 미끄러웠던 탓에, 풀린 지도 몰랐던 신발 끈을 밟고 바닥에 엎어졌다. 무릎과 팔꿈치는 쓸려서 피가 나는 것 같아 시큰거렸고, 바닥에 부딪힌 코에는 따끈하고 욱신거리는 느낌과 함께 피가 주르륵 흘러나왔다.
되는 게 없네.
기껏해야 신발 끈마저 나를 도와주지 않는다고 생각하며 발걸음을 옮기려는 찰나, 내 피가 묻어있는 바닥과 같은 눈높이의 구석 자리에 축축한 박스가 눈에 띄었다. 왜인지는 모르겠지만, 그곳에서 숨소리도 들리는 것 같았다. 쓸데없는 오지랖이었다. 그런데도 나는 그 박스를 열어보고 싶었다.
왜인지 모르게. 그냥.
박스 안에는 작고 연약해 보이는 물체가 들어있었다. 크기는 축구공 하나 정도. 아니, 자세히 보니 움직이고 있었다. 푸석푸석한 수건은 그 물체를 감싸고 있었고, 구깃구깃하게 접힌 습기 찬 종이도 한 장 들어있었다. 나는 그 종이를 펼쳐보았다.
'부탁합니다.'
울퉁불퉁하고 연한 필체로 적힌 이 다섯 글자 말고는 아무것도 적혀있지 않았다. 다만, 조금 축축해서 곧 찢어질 것 같았던 것 빼고.
나는 다시 박스 안 물체를 유심히 살펴보았다. 얼굴 부위를 덮고 있던 털을 손으로 박박 문질러보자, 검고 촉촉한 눈망울이 보였다.
아, 강아지구나. 강아지는 처음 보는 내가 무섭지만 힘은 나지 않는지 겁에 질린 눈으로 나를 응시하고 있었다. 나는 강아지를 조심스레 만지며 그의 몸 상태를 살펴보았다. 잘 못 먹었는지 팔다리는 가늘었고, 갈비뼈가 보일 정도로 앙상했다. 털은 못 먹어서 그런지 뭉텅이로 빠진 부분이 많았고, 바들바들 떨고 있었다.
내 마음속 깊은 곳에서 갑자기 그것을 집으로 바로 데려가야겠다는 생각이 떠올랐다. 나도 모르게 나는 벗은 점퍼를 수건에 감싼 강아지 주위로 다시 둘렀다. 그리고 고개를 푹 숙이고 걸었다. 그저 집이 보일 때까지 걸었다. 아무 생각 없이. 그저 빨리 데려가야겠다는 생각만을 가진 채.

생각해 보니 우리 집은 강아지를 한 번도 키워보지 않았다. 다만 좀 더 어릴 때, 부모님이 두 분 다 살아계시고 재산도 비교적 가지고 있을 때, 내가 다니던 초등학교 앞에서 팔던 병아리를 한 번 키운 적은 있다. 내 기억에는 그저 그 병아리가 죽었을 때, 무척 슬퍼했던 것만 떠오를 뿐이다. 어떻게 죽었는지, 데려와서 무슨 일이 있었는지는 잘 모르겠다. 그냥, 죽었다는 것 자체가 슬펐던 것 같다.
나는 집에 돌아와 내 방 이불에 강아지를 올려놓은 뒤, 집 구석구석을 찾아보았다. 하지만 강아지를 씻기거나 먹일 것들은 보이지 않았다. 인터넷을 찾아보니 강아지가 쌀을 먹어도 된다고 했다. 그래서 나는 냉장고에서 차갑게 식은 흰 밥을 꺼낸 뒤, 냄비에 받은 물과 함께 조금 끓여냈다. 그다음 조금 식혀서 앞에 내어주었더니 다행히 잘 먹긴 했다. 배가 아주 고팠구나. 강아지가 먹이를 먹는 것을 보니, 참아왔던 허기가 파도처럼 밀려왔다. 배가 고픈 건지, 배가 아픈 건지 알 수 없었다. 나는 배를 움켜쥐고 냉장고를 뒤적이다 결국 생수 한 병을 벌컥벌컥 들이켰다. 물로 가득 찬 위장의 느낌이 좋지는 않았다.
'동물병원에 다녀와야겠다.'
다행히 부모님 방을 찾아보니 현금다발이 꽤 남아있었다. 이 정도면 당분간은 괜찮겠다. 나는 강아지를 안고 집에서 제일 가까운 동물병원으로 갔다. 아직 밤인데도 그곳의 불은 꽤 환했다. 문을 들어서자 친절한 여자 직원분이 나를 반겨주었다.
"어서 오세요, 처음 오시는 거예요?"
"네, 강아지 건강검진 좀 하려고요."
"여기 보호자 성함이랑 아기 이름 적어주시고 조금 기다려주세요."
"저, 아직 이름은 못 정…"
이름이 없으면 이상해 보일까 봐 말을 멈추었다.
"아녜요. 잠시만요."
병원 데스크 앞 의자에 앉아 손에 든 서류를 유심히 바라보며 생각했다.
강아지 이름은 생각 안 해봤는데, 뭐로 해야 하지?
직원분이 기다리고 계셨기에, 서둘러야 했다.
…
소… 소금이.
소금이라고 하자.
왜인지 강아지에게서 짠 내가 나는 것 같아서, 순간 떠오른 이름이다. 나는 재빠르게 서류에 있는 이름
칸에
소, 금, 이
라고, 꾹꾹 눌러 적었다.
직원분께서는 서류를 가져가시더니 잠깐 기다리라고 하셨다.
소금이… 더 괜찮은 이름은 없나?
생각해 봤지만 바로 바꾸면 이상할 것 같아서 그냥 놔두기로 했다.
그 뒤로 간호사 선생님이
“소금이 들어오세요.”
라고 외치셨다. 익숙하지는 않은 이름이지만, 그래도 마음에 들었다.
소금이는 10살 정도 된 믹스견이고, 이가 5개밖에 없으며 몸집이 작고 마른 편이라고 했다. 의사 선생님은 내게 소금이가 유기견이냐 물었다. 나는 근처 보호소에서 구조해 왔다고 했다. 순식간에 거짓말이 자동으로 나왔다. 의사 선생님은 더 여러 가지 복잡한 검사를 해보더니, 가봐도 좋다고 하셨다. 사료랑 샴푸랑 이것저것을 더 사니 돈이 꽤 많이 나왔다. 봉투에 들어있던 돈을 세어 카운터 직원분께 드리는데, 손이 떨렸다. 하지만 내가 대신 먹고 입는 걸 줄이면 되니까. 괜찮다고 생각했다.
그로부터 소금이는 내 일상 한편에 들어와 몸을 웅크리고 곁을 지켜주었다. 내가 학교에서 돌아와 인형 눈을 꿰는 아르바이트를 할

때도, 방에서 공부하거나 요리할 때에도, 소금이는 내 시선이 머무르는 어디에서든 몸을 둥글게 말고 나를 바라보고 있었다. 처음에는 약간 어색했지만, 곧 익숙해진 것 같다. 오히려 기뻤다. 비록 부모님은 아니지만 나 말고 다른 존재가 나와 함께 있다는 것이 좋았다. 내 일상에 소금이가 스며들기 시작했고, 이제 소금이의 밥을 준비하고, 이를 닦이고 털을 빗기는 게 내 일과의 한 부분이 되었다.
소금이와 집에 있는 시간이 길어질수록 학교에 있는 것이 불편해졌다. 소금이가 오기 전에는 혼자인 게 너무나도 익숙했다. 그러나 내 곁에 있는 존재의 따스함을 한 번 느낀 뒤로는 내 곁에 누군가 없는 순간이 가시방석 같고 힘들어졌다. 중상위권을 나름 유지하던 성적은 내려가려 하고 있었고, 혼자 있는 시간을 불편해하는 게 다른 아이들 눈에도 보였는지 나를 더 피하고 없는 사람인 양 대하기 시작했다. 부모를 잃은 아이라서 그런지 가끔 챙겨주던 선생님도 이젠 포기한 듯 보였고, 학교에서 보내는 시간은 더 깊은 심해 속으로 빠지는 듯 갑갑해졌다. 그래도 괜찮다고 생각했다. 나는 소금이가 있으니까. 집에서 소금이와 밥을 먹고 누워 잘 생각으로 하루하루를 버텼고, 그게 한 달이 되고, 한 해가 되고, 여러 해가 될 때까지 계속, 그런 생각을 가지고 하루하루 연명했다.
시간이 지날수록 아무리 줄여도 잔고가 바닥이 보이기 시작하는 때가 있었다. 그때의 소금이는 13살쯤이었고, 많이 쇠약해진 시기였다. 잔고에 대한 부담감을 어깨에 얹고 하루하루 살아가던 찰나, 소금이가 많이 안 좋아 보인 어느 날이었다. 유난히 소금이가 연약하고 위태로워 보였다. 우리가 처음 만났던 그날처럼. 추위에 떠는 듯 진동하며 차가웠다. 그날처럼 소금이를 담요에 감싸 안고 병원으로 향했다.
“단순한 노화입니다. 이 나이쯤 되면 다들 이래요.”
의사 선생님은 아무 일 아니라는 듯 말했다. 마음이 쿵 내려앉는 것 같았다. 주위에는 제대로 ‘노화’하여 죽은 사람이 없었다. 그래서 더

늙는 것이 두려웠다. 내가 모르는 사이 소금이는 하루하루 늙어가고 있었구나. 강아지의 1년은 사람의 7년과 비슷하다는 이야기는 알고 있었지만, 이렇게나 빨리 늙어버렸다고는 생각하지 못했다. 소금이가 쇠약해지는 동안 나는 중학교를 졸업하고 고등학교에 갈 준비를 하고 있었다. 잔고에 신경 쓰느라 아르바이트를 늘리고 공부 시간을 늘리면서 그 전보다 소금이를 제대로 바라보는 시간이 현저히 줄었던 것 같다. 가끔 등을 돌려 소금이 쪽을 바라보면, 늘 그랬듯 둥글게 웅크린 자세로 바라보고 있었다. 그래서 그런지 괜찮은 줄 알고, 평소와 같은 줄 알고 다시 고개를 돌렸다.
후회된다. 소금이는 나보다 시간이 더 없는데. 더 시간이 빨리 가는데, 더 많이 바라봤어야 하는데. 의사 선생님은 자연스러운 현상이지만, 그래도 추가적인 관리는 필요하다며 여러 가지 영양제를 추천해 주었다. 물론 전부 사야겠지만, 지금 있는 돈으로는 얼마 못 먹일 것만 같았다. 그래. 학교를 그만두자. 학교 따위 난 안 다녀도 돼. 일단 소금이를….

그날 후로 나는 학교에 가지 않았다. 그 대신 아르바이트 자리를 구하기 시작했다. 시작은 편의점, 일하는 시간만큼 벌지 못하는 것 같아서 두 달 하고 그만두었다. 그다음은 우리 동네에서 좀 떨어진 외곽에 있는 프랜차이즈 레스토랑, 아르바이트를 하고 나면 남은 음식을 싸갈 수 있었다. 하루 종일 아무것도 안 먹고 일했던 나는 집에 들어가자마자 싸 온 음식을 허겁지겁 먹어 치웠다. 그런데 방 안에서 시선이 느껴졌다. 음식 냄새 때문인지 소금이는 무거운 몸을 일으키고는 방 문턱 앞에서 내 쪽을 바라보고 있었다. 소금이도 맛있는 걸 먹고 싶겠지. 하지만 레스토랑 음식들은 하나같이 달고 짜고 매운 조미료가 잔뜩 들어가 있어, 소금이가 먹으면 안 될 것 같았다. 소금이도 매일 먹는 사료 말고 다른 맛있는 게 먹고 싶겠지. 하지만 사람이 먹는 다 요리된 음식을 먹일 수는 없었다.
그래서 나는 설거지 담당을 맡게 된 후, 남은 재료들을 조금씩 싸오기 시작했다. 갓 지은 쌀밥, 찐 고구마, 파프리카와 토마토. 다 강아지들이 먹을 수 있는 것들이었다. 집에 오면 밥과 다른 재료들을 넣고 저녁마다 소금이에게 요리해 줬다. 하루 두 끼 같은 사료가 아닌 다른 음식을 먹어서 힘이 나는지 소금이가 꽤 기운을 차린 것 같아서 뿌듯했다. 그런데 하루는 내가 재료들을 챙기는 걸 주방장에게 들키고 말았다. 주방장은 크게 화를 내며 추궁했다. 네가 남의 주방 축낼 만큼 거지냐고, 험한 말도 몇 차례 했던 것 같다. 무서웠지만 눈물은 안 났다. 그저 연거푸 죄송합니다, 죄송합니다. 할 뿐이었다. 내 반복되는 사과에 지쳤는지 주방장은 화난 듯 깊게 한숨 쉬고 다른 건 비밀로 해줄 테니 가게를 그만두라고 했다. 처음엔 안 된다고, 용서해달라고 빌었다. 그 뒤엔 무릎을 꿇었다. 그래도 안 된다며 거절하던 주방장은 이내 나를 끌고 가게 밖에 나가서 나를 내동댕이쳤다.
너무 막막했다. 돈을 어떻게 벌지? 소금이는 어떡하고 나는 어떡하지? 한동안 길바닥에 넘어져 아무것도 하지 못했다.
그 길로 아무 생각 없이, 무기력하게 집으로 돌아갔다. 가보니 소금이가 느린 발걸음으로 나를 반기러 나왔다. 왜일까, 그 순간 눈물이 터져 나왔다. 너무 막막하고 답답해서 나온 눈물일까, 아니면 서러워서 나온 눈물일까. 나는 한참 동안 소금이를 껴안고 울었다. 소금이는 그저 가만히 내 곁을 지키다가 가끔 눈물 흐르는 얼굴을 핥아주었다. 따스한 소금이, 소중한 소금이. 내가 너무 지키고 싶었다. 지켜야만 했다.
그 뒤로 한참 일자리를 찾았다. 매일매일 내 끼니는 챙길 겨를 없이 인터넷을 뒤지고, 아르바이트 공고를 찾아다녔다. 그러기를 3일, 드디어 지원할 수 있는 가게를 찾았다. 그곳이 인어 양식장이었다. 나는 살면서 단 한 번도 인어를 실제로 본 적이 없었다. 인어라던가, 늑대인간이라던가, 심지어 난쟁이 같은 육지에 사는 존재들도. 처음에는 인어들이 그냥 꼬리 달린 사람 형상이겠거니 생각했다. 물고기지만 사람의 모습을 한, 그런 존재인 줄 알았다.
내가 처음 인어를 본 날은 양식장 아르바이트 첫날이었다. 그날은 양식장에 직접 들러서 첫날 일을 하고 오는 날이었다. 나는 평범해 보이는 가게 깊숙한 곳에 있는 철문을 열고, 또 열며 더욱 깊은 곳으로 들어갔다. 수 개의 철문을 여닫는 게 지겨울 때쯤, 양식장 근처에 도착한 것 같았다. 물 튀기는 소리, 쇠가 철컹거리는 소리, 그리고 처음 들어보는 낯선 울음소리가 섞여 들려왔다. 나는 조심스레 아까의 철문보다는 훨씬 얇은 철문을 열고 양식장 안으로 들어섰다. 그곳에서 나는 숨이 멎는 것만 같은 느낌을 받았다. 내가 처음 마주한 인어는 너무나도 사람 같았고, 그냥 다른 인간 중 하나인 것처럼 너무나도 인간다웠다. 아니, 인간답지만 인간답지 않기에 아름다웠다. 아름답게 조화된 이목구비와 부드러워 보이는 머릿결, 흰 살결, 그리고 맑은 눈까지. 시간이 멈춘 듯 아름다웠다. 사람처럼 생겼지만, 사람이 아닌 것 같았다. 그러나 그들에겐 다리 대신 꼬리가 있었고, 인간의 말 대신 다른 신비한 언어만을 할 수 있었다. 그래서 사람들은 그들을 인간의 범주에 넣지 않았다. 그들의 행동만 봐도 알 수 있었다. 두 손을 묶은 사슬을 잡고, 제 몸의 두 배도 되어 보이지 않는 물탱크에 인어를 억지로 밀어 넣어 운반하는 모습. 그들에게 인어는 사람이 아니라 자신들보다 하찮은 민물고기인 듯 보였다.
인어들의 울음소리와 거친 쇠사슬 소리, 그리고 소리 지르는 업자들 사이를 지나, 작은 문을 통과했다. 그곳은 사장실인 것 같았다. 문을 여니 험상궂어 보이는 남자 한 명이 크고 으리으리한 의자에 앉아 있었다. 그는 자신을 사장으로 소개했고, 나를 인어들과 양식장을 관리하는 위생업자로 고용했다고 말했다. 한참 고개를 숙이며 듣고 있다가 무심코 고개를 들었다. 그의 눈빛은 매우 탐욕스럽고, 불쾌했다. 그의 머릿속에는 자신 외의 것은 하나도 없어 보였다. 나를 위아래로 훑으며 나의 가치를 계산하고 있는 저 눈빛, 피부에 닿는 그 눈빛에 소름이 끼쳤다.
그는 나를 고용해 준 자신에게 감사하라 말했고, 하나라도 잘못했다간 바로 해고라고 통보했다. 나는 서둘러 그 방을 나가고 싶었다. 나는 눈을 질끈 감고 고개를 숙여 감사 인사를 했다. 그리고 가보겠다며 문 쪽으로 재빨리 걸어가 문고리를 열어 그 방에서 내 몸뚱아리를 빼내었다. 숨 막히는 공기였다. 너무 불쾌하고 소름 끼치는 눈빛이었다. 자신의 시야에 들어오는 모든 것의 가치를 하나하나 따지는 인간. 정말 진절머리 나는 부류의 인간이다. 나는 그 양식장에서 빨리 벗어나고 싶었다.
양식장에서 나온 직후, 곧장 근처에 있는 아무 목욕탕에 들어갔다. 몸에 묻은 기분 나쁜 악취와 느낌을 모두 비누에 녹여 물과 함께 씻어 내리고 싶었다. 전신을 뜨거운 물로 불린 뒤 비누를 손바닥만큼 짜서 거품을 가득 낸 후 온몸에 발랐다. 그 과정을 몇 번이고 반복했다. 그러고는 다시 뜨거운 물로 그 기분 나쁨이 미끄러져나가길 기도하며 나는 아주 오랫동안, 목욕탕 안 사람들이 하나하나 다 떠날 때까지 몇 번이고 비누와 물로 온몸을 구석구석 박박 문질렀다. 아무리 씻어내도 온몸에 기름이 둘러진 것 같이 좀처럼 개운해지지 않았다.

그게 바로 6개월 전, 내가 양식장에 온 첫날이었다. '사람이 아니니까' 라는 생각이 박혀있었는지, 아니면 그냥 익숙해져서 그런 건지, 지금은 인어들이 어떤 얼굴을 하던 슬프고 괴롭거나 불쾌하지가 않았다. 오히려 아무 감정도 들지 않았다. 그랬는데. 그랬어야만 하는 건데.

인어의 눈망울을 보니 집에 있을 소금이가 잔상처럼 피어올랐다. 순간 눈물이나 잠시 고개를 돌려 눈물이 들어가길 기도할 뿐이었다.
"알겠어. 비밀로 할게."
인어는 그제야 안심한 듯 보였다. 얼굴 근육이 제법 이완되었고, 울먹거리는 눈망울의 빛도 없어졌다.
"그 대신 너도 내가 비밀로 했다는 걸 비밀로 해줘. 나도 여기 원해서 온 건 아니지만, 난 돈이 너무 필요하거든. 여기서 해고되면 난 끝장이야."
인어는 갑자기 나를 뚫어져라 쳐다보기 시작했다. 인어는 잠깐 코를 킁킁거리더니, 나에게 이렇게 말했다.
"습기 때문에 냄새가 안 났었는데, 이제 나네. 너 뭐 동물 키워?"
"어? 아, 응. 강아지 한 마리."
순간 인어의 눈망울이 다시 빛나기 시작했다. 아까 전의 슬픈 눈망울이 아닌, 통통 튀고 기뻐 보이는 눈망울이었다.
"정말?? 멋지다. 이름이 뭔데?"
"…. 소금이."
인어는 내게 가까이 고개를 내밀며 물었다. 뭔가 기뻐 보이는 얼굴이었다.

“우와, 소금이!! 멋진 이름이다! 나도 바닷속에 있었을 때는 물고기들이랑 자주 놀았었는데. 구피, 뽀삐, 산호…”
인어는 갑자기 혼자 들떠서는 자신이 바닷속에 있었을 때 함께 지냈던 물고기들에 대한 이야기를 늘어놓기 시작했다. 긴장이 많이 풀린 것 같다. 신나게 말하던 인어는 나를 보더니 말을 멈추고,
“웃었다! 너 웃었어!!”
라고 소리쳤다. 정신을 차려보니 내 입꼬리는 나도 모르게 올라가 있었다. 이렇게 조금이라도 웃어보는 게 얼마 만인지. 너무 오랜만에 쓴 안면근육이라서 그런지 약간의 경련이 왔다. 내가 이렇게 안 웃고 살았구나. 내가 이렇게 웃을 줄도 알았었구나.
“이야, 너 웃는 모습 처음 봐. 꼭 심해어 같아.”
“심해어?”
무슨 말인지 한 번에 이해할 수 없었다. 내가 심해어라니?
“아아, 기분 나빠지라고 한 말은 아니야. 미안!”
인어는 정말 몰랐다는 듯 순수한 얼굴로 내게 사과했다.
“너 심해에 가본 적 있어? 심해는 정말 정말 깊고 어둡거든. 아무 소리도 안 들리고, 어디가 끝이고 어디가 바닥인지 몰라서 그냥 아무것도 없는 세계에 있는 기분이야.”
인어는 꿈을 꾸는 듯 몽환적인 눈과 목소리로 이야기를 이어 나갔다.
“그런데 심해어가 나타나면, 주위에 뭐가 있는지 그제야 보이기 시작한다? 물론 많은 곳을 밝힐 정도로 눈부시진 않아. 그래도 심해어가 있으면 아무것도 없는 것 같았던 곳에 어떤 게 있는지 볼 수 있게 돼. 물론 얼굴이 조금 못생겼다는 게 함정이지만…”
인어는 재미있다는 듯 이야기하더니 이내 입꼬리가 호선을 그리며 올라갔다. 인어가 웃는 순간, 주위가 한층 더 밝아지는 것만 같았다.
“아, 근데 네가 웃을 때 말이야. 주위가 뭔가 조금 더 밝아지는 것

같았어!! 원래는 수증기도 있고 빛도 잘 안 들어와서 그런지 조금 어두웠는데 말야. 그래서 그렇게 말한 거야. 네 얼굴이 심해어를 닮았다는 게 아니고! 오해하지 마!"
인어는 초롱초롱한 눈으로 나를 바라보며 떠들어댔다. 눈빛이 정말 순수한 물처럼 투명하고 진실 되어 보였다.
"그런데 있잖아. 나 부탁하고 싶은 게 있는데…"
인어는 잠시 고민하더니, 이내 말을 꺼냈다.
"나 있잖아, 이름 하나만 지어주면 안 될까?"
"이름을 지어달라고?"
"응. 나 인간의 이름이 갖고 싶어! 네 강아지도 이름이 있고, 너도 있을 것 아냐. 나도 하나만 주면 안 돼? 나도 이름 가지고 싶어!"
애원하는 인어의 모습이 너무 간절해 보여서, 나는 마지못해 한번 생각해 보기로 했다.
"음…"
나는 소금이의 이름을 지었던 그 순간을 떠올리게 되었다. 내가 어떻게 이름을 지었더라? 기억이 너무 희미해서 잘 보이지가 않는다.
"…. 모모."
"모모 어때?"
인어는 잠시 정적을 가지더니, 이내 기분이 좋은 듯 꼬리를 팔딱거리며 기뻐했다.
"모모! 좋아! 무슨 뜻인데?"
"아아, 그게…"
잠시 생각했다. 아무 뜻 없이 그냥 지은 건데…
"암튼 좋은 뜻이야."
"그게 뭐야! 아무튼, 나 이제부터 모모인 거지?"
"맞아. 그렇지."
"좋아! 그럼 네 이름도 알려줘!"
"내 이름? 내 이름은 왜…"

“이름을 서로 알아야 친구 된 거 아니야?? 난 너랑 친구 할래! 그러니까 서로 이름 알려주자. 어때?”
내 이름… 내 이름을 상기한 지가 너무 오래되었나, 뇌의 기억 상자 몇십 개를 뒤져야 나올 것 같은 기분이다. 얼마나 내 이름을 불러주는 사람 없이 살았던 걸까? 그러고 보니 내가 만나는 사람들은 아무도 나를 이름으로 부르지 않았다. 내 이름조차 모르는 사람들이 대부분이었다. 양식장 경비아저씨는 ‘청년’, 편의점에서 손님들은 ‘저기요’, ‘총각’ …. 내 이름을 알고 지내지 않으니 내가 내가 아닌 기분이 들었다. 그냥 육체만 있는, 지성이 없는 존재. 무생물인 것 같은 느낌이 들었는데.
“…. 담.”
“담”
“내 이름, 담이야”

모모와 나는 꽤 자주 만났다. 사실 거의 매일 만났다. 나는 매 오후부터 새벽까지 양식장으로 출근했고, 모모는 매분 매초 양식장에서 살았으니까. 모모와 나는 관리자의 발소리가 들리지 않는 점심시간, 저녁 시간, 그리고 저녁 9시 이후에 목소리를 죽이고는 자주 대화했다. 목소리가 큰 모모 때문에 가끔 애를 먹기도 했지만… 모모는 나를 만날 때마다 새로운 이야기를 해주었다. 그 중 바다에서 있었던 일을 들을 때가 제일 즐거웠다. 처음에는 바다 이야기가 그저 허황된 이야기로만 느껴졌다. 나는 살면서 바다에 한 번도 가본 적이 없다. 내가 본 물이 고여 있는 장소는 집 목욕탕과 화장실, 양식장의 탱크와 비 온 뒤의 물웅덩이밖에 없었다. 그런데 모모가 하는 이야기는 하나같이 생생하고 아름다웠다. 모모의 이야기를 들으면 들을수록 나는 더 그 세계에 빠져들고, 그 세계를 죽기 전에 꼭 보고 싶었다. 나는 보지 못한 세계, 나는 느껴보고 들어보지 못한 세계에 대한 모모의 이야기를 들으면, 시간 가는 줄 모르고 내가 그 세계를 경험한 것만 같이 느껴졌다. 나는 모모와 이야기하면서 언젠가 꼭, 바다에 가보겠다고, 바다에 가서 신나게 물속에 잠겨보겠다고 생각했다.

모모의 이야기는 오래 들어도 지루할 틈이 없었다. 모모가 하는 이야기는 주로 바닷속에서의

생활들이었다. 바다에는 인어뿐만 아니라 인간의 수보다 많은 종류의 생명체들이 살고 있다는 이야기, 모모가 살던 집과 마을, 그리고 나라에 대한 이야기. 모모의 친구들과 가족들, 그리고 그들과 함께 있었을 때 일어났던 일들. 바닷속이라는 배경적 요소만 바꾸면 거의 인간과 비슷했다. 나와 같은 부류의 인간이 아니라, 활동적이고 활발하며 친구가 많고 여유가 넘쳐나는 인간들 말이다. 그러나 왜일까, 모모가 해주는 이야기는 들으면 들을수록 기분이 좋아지고 하루하루가 즐거워졌다.

“그래서 있잖아, 상어들이 우리 마을에 멋대로 들어와서 집이랑 건물들을 다 부순 적이 있었는데.”

“내가 인간들이 떨어트린 이상한 빛이 나는 물건을 그 상어 눈앞에 비췄단 말이야? 그러니까 걔가 도망가더라고! 그때 얼마나 무서웠는지 몰라. 진짜 잡아먹히는 줄 알았어!!”

하루는 모모가 심해에 대한 이야기를 다시 들려준 날도 있었다.

“심해는 너무너무 깊고 춥고 어두워! 우리 마을에서 아무도 심해 바닥까지 가본 사람은 없어. 다른 마을의 인어들 중에서 가 본 사람이 몇 있는 것 같은데, 다들 이야기하기 싫어하는 것 같아. 아무래도 심해에는 엄청나게 무서운 우리가 모르는 무언가가 살고 있는 것 같아! 심해에 대한 이야기만 꺼내도, 그 사람들은 공포에 질려서 벌

벌 떨던걸?"
"정말? 인간도 똑같아. 우리가 사는 세계에도 너희들처럼 엄청 깊고 춥고 어두운 곳이 있어. 저 위에 있는 우주라는 건데, 우리는 우주의 끝에 다녀온 사람이 아무도 없어."
"우와, 그렇구나! 우리가 사는 이 세계에는 위에도 아래에도 엄청나게 깊은 곳이 있네! 그러면 우리가 사는 이곳은 모든 방향으로 끝이 없는 걸까? 한 번 보고 싶다!"
모모와 이야기하면 뭔가 어린아이와 이야기하는 느낌이 들었다. 주변에 어린아이가 없어서 그런지, 모모와 이야기하는 하루하루가 새로웠다. 나는 어느새 언젠가 꼭, 모모랑 같이 바다에 가보겠다고, 바다에 가서 같이 신나게 물 속에 잠겨보겠다고 다짐했다.
모모가 들어오고 나서 많은 인어가 양식장을 떠나고, 많은 인어가 다시 양식장에 들어왔다. 새로 들어온 인어 중 인간의 말을 할 줄 아는 인어는 하나도 없었다. 나는 자연스레 모모와 보내는 시간이 늘어났고, 언젠가부터 모모가 떠나지 않았으면 좋겠다는 생각이 들었다. 모모와 만난 지 3개월 정도 지났을 무렵, 내 손에는 꽤 많은 액수의 돈이 들어와 있었다. 이 정도면 소금이한테 두 달 정도 분량의 약을 더 사줄 수 있었다. 3개월 사이에 소금이는 전혀 나아지지 않고, 악화하였다면 더 악화하여 있었다. 발걸음을 느려지고 힘이 더욱 없어졌고, 눈도 가물가물한지 직선으로 잘 걷지 못했고, 누워있는 시간이 많아졌다. 그래도 밥과 물은 비교적 잘 먹고 있어서 그렇게 심하게 아픈 곳은 없을 것으로 생각하고 있었다. 나는 매일매일 집에 들어오면 반겨주던 소금이의 발걸음과 목소리에 힘이 없어지는 것을 점점 실감하게 되었다. 하루하루 늙어가는 우리인데, 왜 너만 내가 알아볼 새도 없이 그렇게 나이 들고 있는 걸까. 하루는 조금 일찍 퇴근하여 소금이와 시간을 보내고자 했다. 그러나 전보다 축 처진 목소리에 그만 울음이 터지고 말았다. 나는 소금이를 안고 한참을 울었다. 옛날처럼 소금이는 내 곁을 지키고 있었지만, 나를 핥아주는 혀와 손은 미세하게 떨리고 있었다. 그 사실을 알아차리는 순간 눈물은 배로 흘렀다. 이제는 가만히 서 있는 것조차 힘들어질 지경이 되어버렸구나. 소금아 가지마. 가면 안 돼. 조금만 늦게 가 줘.

그날도 어김없이 퇴근을 마치고 집에 들어온 새벽이었다. 나는 평소와 같이 문을 열고 들어갔고, 소금이는 조금 늦은 발걸음으로라도 나를 마중 나와 줄 것으로 생각했다. 그러나 소금이는 내가 아무리 문 앞에서 기다려도 나오지 않았다. 혹시나 하는 불길한 마음이 스쳐 갔다. 나는 어서 소금이가 있을 만한 내 방으로 들어가 소금이를 불렀다. 소금이의 기척은 느껴지지 않았다. 그다음에는 배가 고팠나 생각하며 부엌으로 갔다. 역시 소금이의 흔적은 없었다. 화장실도 혹시 몰라 들어가 보았지만, 소금이의 흔적은 전혀 찾아볼 수가 없었다. 그리고 불길한 마음을 안고 거실로 향했다. 소금이의 흔적을 어서 찾아야 했다. 설마 하는 마음으로 소금이를 찾았다. 바닥에는 작은 오줌과 똥이 있었다. 배변 패드에서 한참 벗어난 거리에. 평소에는 배변을 잘 가리던 소금이가 이번에는 엉뚱한 곳에 배변한 것이었다. 나는 불안한 마음에 거실 벽 4개의 면을 둘러보다가, 젖은 꼬리와 작은 발바닥 두 개를 구석에서 발견했다. 소금이였다. 발작하듯 놀라 곧장 소금이에게 몸을 던졌다. 소금이는 얼굴을 구석에 묻은 채 내가 보지 못할 곳에서 무호흡 상태로 발견되었다. 몸은 차갑고 털엔 윤기가 사라진 채로. 생명의 기운은 하나도 느껴지지 않는 채로. 나는 무슨 정신으로였는지는 기억이 나지 않지만, 곧장 거실에 널브러져 있던 내 이불을 소금이에게 감싸준 뒤 무의식적인 발걸음으로 새벽임에도 불빛을 뿜고 있던 동물병원으로 들어갔다. 소금이를 처음 발견했을 때, 소금이의 늙어감을 처음 발견했을 때 갔던 동물병원이었다. 간호사 선생님은 축 처진 소금이를 보시더니 바로 의사 선생님을 호출했다. 의사 선생님은 잠시 놀란 듯 보이더니, 이내 이렇게 말했다.
“죽었습니다.”
이 다섯 단어의 한 문장에 나는 절망했다. 신체 전신이 땅 밑으로 추락하는 기분이었다. 아무것도 들리지 않고, 아무것도 보이지 않고, 아무것도 느껴지지 않는. 무(無)의 세계에 떨어진 기분이었다. 무감각한 뇌와 사지와는 달리 눈에서는 뜨거운 눈물이 뺨을 타고 흘러내리고 있었다. 내 뜨거운 눈물의 온도가 소금이에게 가 있어야 하는데. 소금이가 혼자 죽어가지 말아야 했는데. 소금이가 나를 혼자 두고 가지 말아야 하는데. 소금이가 외로워하면 안 되는데. 내가 외로우면 안 되는데.
장례는 동물병원에서 치러주었다. 내 재정 상황을 대충 알고 있던 의사 선생님께서 장례 비용을 지불해주시기로 했다. 나의 아직 무감각한 뇌는 무의식적으로 고개를 숙이고 감사하다고 말하라는 신호를 내보내고 있었다. 나는 소금이와 마지막 인사를 했다. 소금이는 그냥 깊게 잠들어있는 것처럼 보였다. 곧 있으면 소금이가 깨어나 나를 향해 웃어줄 것만 같았다. 나는 여전히 뜨거운 눈물을 흘린 채, 차가운 소금이의 육체에 내 손길을 마지막으로 남겼다. 내 손이 넘기는 방향으로 빗어지는 털은 차갑고 슬펐으며 푸석했다. 소금이가 어딘가 깊은 방으로 들어갔다. 나는 이제 소금이가 우주나 심해로 간다고 생각하는 지경에 이르렀다. 소금이는 내가 경험해 보지 못한 세계에 나보다 먼저 가봐 주는 거야. 내가 언젠가 갈 때가 되면 소금이가 마중 나와서 그곳에 대한 이야기를 해줄 거야. 그러니까 오늘은 그냥 보내주자. 소금이가 마음 편하게 갈 수 있도록.

집에 도착하자마자 느껴지는 한기와 썰렁함에 그 자리에 주저앉아 울음을 터트렸다. 바로 소금이가 지친 몸을 이끌고 나에게 와 혀를 내밀고 미소 지어줄 것 같은 착각을 했지만, 그런 일은 일어나지 않았다. 소금이. 내가 사랑했던 존재. 그 모든 게 부질없다는 생각이 들었다. 아무리 큰 사랑을 준 것이라도 나보다 먼저 사라지면 다 무용지물이구나. 내가 주고 느낀 감정들은 언젠가 전부 사라져 버릴 감정들이구나. 내가 사랑했던 모든 것들도 나를 떠나겠구나.
몇 시간 동안 눈물을 흘린 건지 모르겠다. 창밖을 보니 해는 이미 떠 있었고, 햇살은 야속하게도 따스했다. 소금이의 차가운 육체의 감촉이 떠올라 더 울음이 나왔다. 결국 가슴이 조여오고 숨을 쉬기 힘들어질 때까지 울고 난 뒤, 기력 없는 몸을 일으켜 거실 아무 곳에 던져져 있던 천 쪼가리를 가슴팍에 안고 몸을 웅크렸다. 결국 나도 점점 웅크려져서 작은 점이 되고, 아무도 보지 못할 만큼 작아지면 좋겠다고 생각했다. 나는 내게 사랑하는 존재가 생긴다면 꼭 그 존재보다 먼저 죽어버릴 것이라고 다짐했다.

아무 생각 없이 시간을 보냈더니 벌써 양식장에 출근할 시간이 되었다. 물먹은 듯 무거운 몸을 이끌고 버스와 지하철을 거쳐 깊숙하고 으슥한 곳까지 걸었다. 발걸음 한 발 한 발이 너무 버거웠다. 곧

땅속으로 꺼져버릴 것만 같았다. 두꺼운 여러 개의 문을 열고 또 열었다. 아무 생각 없이 그저 몸이 이끄는 대로 무기력하게 여닫았다. 깊숙한 곳까지 도착했을 때는 무의식적으로 옷을 갈아입고 장갑을 꼈다. 축축한 장화와 때 묻은 청소도구들을 들고 청소를 시작했다. 육체만 존재하고 이성은 없는 것 같은 기분이 들었다. 이제는 집에 돌아가면 반겨줄 존재도, 따듯하고 포근한 존재도 없다. 내가 여기서 일하는 이유. 여기에서 살아가야 하는 이유가 없어졌다. 그러나 울지도 무너지지도 않았다. 무감각하게 일했을 뿐이다.
내 기척을 들은 모모가 물 표면에 꼬리를 팡팡 쳤다. 우리만의 암호였다. 하지만 이번에는 가지 않았다. 솔직히 말하자면, 목소리를 낼 기운도 없었다. 사건들 하나하나에 반응할 여유도 없었다. 그래서 이따 저녁 시간에 가야지, 하고 얕게 다짐하곤 다시 묵묵히 청소를 이어 나갔다. 닫힌 문 앞에서 모모로 보이는 얼굴들이 고개를 바짝 들며 기웃거렸다. 나는 그냥 이따가 가야지, 하고 다시 청소를 이어 나갔다. 얼마나 시간이 흘렀는지 모르겠다. 양식장 벽에 붙어있는 콩알 만 한 창문에서는 불빛이 하나도 들어오지 않았고, 차가운 공기가 오갔다. 경비 아저씨와 관리자의 기척은 찾아볼 수 없을 정도로 고요했다. 인어들의 물장구 소리와 청소도구 솔의 삭삭거리는 소리 빼고는 아무 소리도 들리지 않을 때, 모모가 살고 있는 구역으로 들어가 청소해야만 했다. 모모를 평소대로 마주할 자신이 없었다. 모모를 보면 내가 지금 가지고 있는 이 어두운 기분을 옮겨버릴 것 같았다. 내가 들어가자 지루해 보였던 모모는 금세 활기를 찾은 얼굴을 띠고 있었다.
“뭐야, 왜 이제 왔어!! 한참 기다렸잖아!!”
모모는 내 얼굴을 보자마자 원망스럽다는 듯 삐진 말투로 소리쳤다. 평소처럼 이야기하고 싶었지만, 몸도 마음도 그럴 기력이 없었다. 모모랑 더 이야기해야 하는데.
“미안, 오늘은 관리자가 더 많이 돌아다니는 것 같아서.”

모모는 무언가 걸리는 듯 말을 꺼내려고 했지만, 이내 나를 뚫어지게, 아주 오랫동안 바라보았다.
“담, 너 무슨 일 있어?”
“…. 아냐. 아무것도. 아무 일도 없어.”
모모는 고개를 쭈욱 내빼며 나를 응시했다. 내 얼굴이 아닌, 그 너머의 무언가를 보는 것만 같은 깊은 눈빛이었다.
“무슨 일 있는 것 아냐?? 나한테라도 괜찮으면 조금이라도 말해봐.”
모모는 물에 젖어 축축한 손을 뻗어 건조하고 갈라진 내 손을 붙잡았다.
“내가 곁에 있잖아. 뭐든지 말해도 돼.”
순간 무감각했던 가슴이 저려오기 시작했다. 손은 떨리고, 눈에서는 뜨거운 눈물이 비 오듯 흘러내렸다. 아무 생각 할 수 없었던 머릿속이 슬픔으로 가득 찼다. 소금이의 마지막 모습이 떠올라 나는 더 울었다. 모모 앞에 쭈그려 소리가 나오는 걸 삭히며 울었다. 눈물 때문에 모모가 나를 어떤 눈으로 바라보고 있었는지는 모르겠지만, 그 순간 내 손에 스며들던 모모의 수분이 메마른 마음속을 적셔주고 있었다. 갑갑하던 호흡이 점차 진정되고, 모모는 고개를 숙여 내 표정을 살폈다.
“이제 좀 괜찮아?? 무슨 일이야, 표정이 아직도 안 좋아.”
“정말 아냐. 걱정해 줘서 고마워, 근데 아무 일도 아냐.”
나는 속으로는 모든 걸 털어놓고 싶었지만, 그럴 용기는 나지 않았다. 그래서 평소처럼 감정을 죽이려고 애쓸 뿐이었다. 내가 고개를 돌려 본 모모는 슬픈 표정을 하고 있었다.
“정말이야? 말하는 것만으로도 조금은 괜찮아질 수도 있잖아. 내가 잘 듣고 있어. 그러니까 말해도 돼. 나는 네가 슬픈 게 싫어.”
나는 오랜 시간 말없이 고민했다. 하고 싶은 말이 목젖 끄트머리까지 차올라 있었다.

나는 이내 용기를 조금만 내보기로 결심했다. 그래서 입을 열고 목소리를 내어 목 끝까지 차 있었던 내가 하고 싶었던 말을 하나하나 꺼내기 시작했다.
“오늘 새벽에 일 마치고 들어갔는데, 소금이가 죽어있었어. 내가 없는 사이에 혼자. 그것도 나를 보고 싶지 않았는지 빛도 안 드는 구석에서.”
모모는 놀란 듯 보이더니 내 손을 더 꽉 잡았다. 차가웠던 수분 사이로 따듯한 온기가 느껴졌다. 나는 계속 말을 이어갔다.
“이제 집에 돌아가면 아무도 없어. 부모님이 사라졌을 때는 소금이가 있었는데, 지금은 없어. 내가 돈을 벌어야 할 이유도, 살아가야 할 이유도 없어. 다 사라졌어. 이제 나는 뭘 위해 살아야 할까. 내 주위에 아무것도 없는데 난 어디를 향해 가야 할까. 정말 어떻게 해야 할지 모르겠어. 너무 높은 벽 앞에서 막힌 것 같아. 너무 외로워. 집에 가면 차가운 공기뿐이야. 소금이가 그리워. 따듯한 그 온기가 너무 그리워.”
나는 속에 있던 모든 말들을 뱉어냈다. 한 마디 한 마디 쏟아낼 때 모모의 숨소리도 조금씩 거칠어졌다. 내가 모모한테 내 슬픔을 옮겨버린 것 같아 죄의식이 들었다. 모모도 날 떠나버리면 어떡하지? 이 생각에 더더욱 불안해지기 시작했다. 눈물은 멈추지 않았고, 마음속 불안감은 쉴 새 없이 불어났다.
“미안해, 담.”
모모는 갑자기 나에게 사과를 해왔다. 고개를 든 모모의 눈은 눈물로 그렁그렁 차 있었다. 곧 울어버릴 것만 같은 얼굴을 하고 있었다.
“네 슬픔을 모르고 있어서 미안해. 내가 감히 이해할 수 없는 깊이의 슬픔인 거 알아. 모르고 있어서 미안해.”
모모는 손을 뻗어 내 얼굴에 흐르던 눈물을 닦아주었다. 모모의 손가락이 닿은 자리에 차가운 물이 묻어났다.

"담, 너한텐 내가 있어. 나랑 같이 살자. 오래 살다가 소금이 보러 같이 가자. 그러니까, 계속 내 곁에 있어. 나도 네 곁에 계속 있을게. 정말이야. 맹세해. 그러니까, 부디 너무 오랫동안은 슬퍼하지 말아줘."

"…. 정말이야? 진심으로?"

"응. 내가 소금이만큼 너에게 소중한 존재가 될 수 있을지는 모르겠지만, 내가 네 곁에 있다는 것만 알아줘. 어딜 가던 항상 옆에 있을게. 어디에든."

옆에 있어 주는 존재가 새로 생겼다. 마음 한편에 불빛이 들어온 듯 밝아지는 기분이 들었다.

언제부터인가 모모를 보면 소금이가 떠올라 애틋해졌다. 꼭 소금이가 모모가 되고, 모모가 소금이처럼 보였다. 내가 이곳에서 외로워할 걸 미리 안 소금이가 보내준 천사 같은 존재가 아닐까? 나는 언제부터인가 모모를 사랑하기 시작했다. 어느새 꼭, 모모랑 같이 바다에 가겠다고, 바다에 가서 같이 신나게 물속에 잠겨보겠다고, 모모가 바다로 돌아가면 나도 같이 잠겨 죽을 것이라고 다짐했다.

나에게는 새로운 목표가 생겼다. 소금이가 살아있을 때는 가지 못했던, 바다에 가기 위한 자금을 모으는 것이었다. 가서 모모랑 같이 물장난도 치고, 맛있는 음식도 먹고, 따듯한 침대에서 잠도 자고, 멋진 노을도 보는 것이 내 꿈이 되었다. 모모가 내 삶의 이유가 되었다. 모모가 말했던 '어디 가던 항상 옆에 있을 것'이라는 약속을 믿으면서, 하루하루 살아가고 있었다.

평범한 하루 중 하나였다. 모모를 보려고 양식장에 가고 있었다. 그러나 그날은 공기가 달랐다. 분위기가 달랐다. 양식장으로 들어가는 문을 하나하나 열 때마다 불길한 예감이 스멀스멀 올라왔다. 꼭 누군가가 떠날 것처럼. 소금이가 떠난 날의 그 느낌과 비슷했다. 나는 잘 열리지 않는 무거운 문을 빨리 다 열어버리려고 안간힘을 썼다. 양식장에 들어서자, 아주 오랜만에 보는 얼굴이 보였다. 양식장 사장이었다. 아르바이트를 처음 시작하고 난 뒤에는 한 번 정도밖에 보지 못했을 만큼, 양식장에 그렇게 신경을 쓰지 않고 있었던 것 같다. 관리자는 사장 옆에 붙어서 빌빌거리고 있었다.

"아, 자네. 오랜만이군. 양식장 일은 할 만 하나?"

사장은 기분 나쁜 눈빛과 미소로 나를 반기는 척, 내 전신을 훑어보기 시작했다. 내 가치가 얼마나 상승했는지, 하락했는지, 아니면 그대로인지 스캔하고 있었다.

"사장님이랑 관리자분들 덕에 수월하게 하고 있습니다."

나는 시선을 아래로 두고 사장의 말에 답변했다. 사장의 신발은 매우 비싸 보이는 가죽으로 만든 구두였다. 내가 신은 낡고 망가진 장화와 너무나도 비교되었다.

"그런데 오늘은 어쩐 일로 오셨습니까?"

"아아, 다름이 아니고, 좋은 소식이 있다네."

사장은 불쾌한 눈으로 모모가 있는 쪽을 바라보았다. 사장의 입꼬리는 헤벌쭉 귀에 걸릴 듯

올라가 있었다. 모모의 웃음과는 다른 매우 기분 나쁜 웃음이었다.

"저기 있는 저 특급 인어 말이야, 저 인어가 드디어 팔렸다네!! 그것도 우리나라에서 제일 큰 호텔 회사 사장에게 말이야. "

사고 회로가 멈춘 기분이었다. 사장은 내 얼굴이 신경 쓰이지 않는지 매우 신난 얼굴로 나에게 가까이 오더니 내 귀에 대고 지껄이기 시작했다. 몸에 소름이 돋을 정도로 느끼기 싫은 숨결이 내 얼굴과 귓구멍 속으로 파고들어 갔다.

"무려 50억에 말이네. 그 회사 사장, 인어 불매 운동인지 뭔지를 추

구한다며 언론에 뿌리더니, 결국 그 사람도 욕망에 들끓는 사람이었구먼."
사장은 뒤로 물러나더니, 들뜬 얼굴로 나에게 다시 말했다.
"그러니까, 자네는 오늘부터 관리 안 해도 된다네. 내가 직접 할 거니까 말이야."
하늘이 무너지는 것 같았다. 나는 사장에게 애원하듯 호소했다.
"사장님, 이건 말도 안 되는 것 같습니다. 저는 여기에 다니는 동안 관리자님께 경고받은 적도, 업무를 대충 한 적도 없는걸요. 그런데 왜 절 해고하시려는 거죠?? 전 잘못을 아무것도 하지 않았는데 말입니다."
"무슨 말인가? 해고라니, 자네는 그냥 저 특급 인어만 관리하지 않아도 된다는 말이라네. 큰손님께 보내기 전에 내가 제대로 한번 싸악 하고 가야지. 설마…"
사장은 기묘한 웃음으로 나에게 다가와 귓속말했다.
"자네 같은 가난한 월급쟁이가 저런 특급 인어를 탐내는 건 아니겠지? 귀한 몸인데, 때가 묻으면 되겠어? 한 번이라도 만져본 걸 감사하게 여기라고."
"…. 그런 생각은 하지 않았습니다. 그럼, 업무하러 가보겠습니다."
"그래, 아주 성실한 친구구먼. 저 인어를 거래하는 것이 성공한다면 자네에게도 보너스를 주겠네. 그럼."
사장이 모습을 감출 때까지, 나는 한 발짝도 움직이지 못했다.
세상이 무너졌다. 모모를 더 이상 볼 날이 얼마 남지 않았다. 모모랑 바다에 가기로 했는데. 언제 어디서든 함께 하기로 했는데. 절망적이었다. 사장이 없는 틈을 타 모모에게 가고 싶었지만, 모모의 얼굴을 보는 순간 눈물이 터질 것 같았다.
모모를 보지 못한 지가 벌써 일주일이나 되었다. 나도 모모도 둘 다 잘 지내지는 못하는 것 같았다. 사장은 모모를 격리된 곳으로 이동시켰고, 그 방은 내가 일하는 장소로부터 멀리 떨어진 곳이었다. 다행히 청소 도구실이랑 벽 하나를 사이에 두고 있는 공간이라서, 나는 벽 너머에서라도 모모를 만나기 위해 청소도구함에서 자주 시간을 보냈다. 사장이 없는 것 같으면 모모에게 조금씩 말을 걸어보기도 했지만, 사장이 언제 들어올지 모른다는 생각에 답을 주지 않았다. 모모는 사장을 진심으로 증오했다.

가끔 청소 도구실에 숨어 들어가 있으면 사장과 모모가 함께 있을 때의 소리가 들리는데, 모모는 나와 있을 때는 내지 않았던 소리를 냈다. 동물의 으르렁거리는 소리 같기도 하고, 사람이 절규하는 소리 같기도 했다. 어떨 때는 울고 소리를 지르기도 했다. 모모가 경계하고 거부하는 소리를 내면 사장을 모모에게 욕을 해댔다. 가끔은 화를 내며 방을 박차고 나가기도 했다.

모모를 보지 못한 지 한 달 정도 되었을 때였다. 그날도 어김없이 업무를 대충 끝내고 청소 도구실에 쭈그리고 앉아 모모를 지키고 있었다. 그때 사장이 들어오더니, 모모를 씻기려고 하는지 짜증을 내며 소리쳤다.

"좋은 말 할 때 고분고분하게 굴어!!! 어차피 곧 팔려 가는 주제에 자존심은 세 가지고."

사장이 모모에게 손을 대려 하고 모모는 몸부림치는 소리가 들렸다. 고통스러워하는 모모를 생각하니 가슴이 아려왔다. 그 순간,

'짝'

무언가를 때리는 소리였다. 모모는 매우 아픈 듯 괴성을 질렀다. 사장이 모모를 때린 것 같았다. 사장은 그럼에도 화가 풀리지 않았는지 모모를 계속 때리고 찼다. 사장이 내지르는 소리는 괴물의 울음소리같이 추악하게 들렸다. 나는 몸이 굳은 듯 움직일 수 없었다. 그저 입을 막고 모모가 맞는 소리를 가만히 듣고 있어야 할 뿐이었다.

사장이 모모를 때리는 일은 3일 동안 계속되었다. 사장은 문을 열고 들어가자마자 모모에게 발길질을 해대는 듯 들렸고, 그때마다 모

모는 더욱 크고 슬프게 울고 소리 질렀다. 나는 그 소리가 잦아들기만을 기다리면서 울음을 참을 수밖에 없었다. 사장은 씩씩거리며 방을 나갔다. 모모는 사장이 나간 걸 보자 흐느껴 울기 시작했다. 아주 슬프게. 마음이 찢어질 것만 같았다. 그럼에도 아무것도 할 수 없는 내가 한심하게 느껴졌다. 모모가 괴로운 건 싫은데. 너무 슬프고 힘들어서 죽을 것 같은데. 내가 뭘 할 수 있지? 뭘 해야 하지? 무력감이 나를 압도하는 기분이다. 응어리진 슬픔을 곧 토해버릴 것 같았다. 순간 나는 결심했다. 모모를 데리고 도망가기로. 내가 죽는 한이 있어도 모모를 바다로 돌려보내겠다고. 나는 벽에 대고 작게 속삭였다.
"모모, 미안해. 내가 곧 갈게. 가서 얼른 구해줄게. 같이 도망가자, 알았지? 조금만 기다려."

사물함에 들어가 급하게 내 짐을 챙겼다. 그리고 직원 탕비실에 들어가 가방에다 있는 물이란 물은 다 챙겼다. 그리고 사장의 기척이 멀리 있는 것 같은 기분이 들 때까지 청소 도구실에 숨어 기다렸다. 이후 사장의 발걸음이 멀어졌을 때, 모모가 있는 방문을 열고 모모를 데리러 갔다.
"모모!"
"담, 여긴 어떻게 들어왔어?"
나는 모모에게 다가가 몸을 꼭 끌어안았다. 모모의 몸은 축축하고 앙상하고, 곳곳에는 멍과 상처가 남아있었다. 마음이 찢어질 것 같았다. 그새 또 말라버린 모모의 몸이 너무 안쓰러웠다.
"사장이 많이 때렸어? 괜찮아??"

"응 괜찮아. 근데 여기 들어오면 안 되는 것 아냐? 너야말로 괜찮아?"
"우리 나가자. 나가서 아무도 못 찾는 곳으로 가자. 내가 꼭 바다로 돌려보내 줄게."
"뭐?? 그게 어떻게 가능해… 나가는 것 자체가 불가능한걸."
이미 포기한 것으로 보이는 모모의 말에 마음이 더욱 안 좋아졌다. 모모의 표정은 절망스러웠지만, 눈동자만은 조금의 희망을 기대하고 있었다.
"내가 그렇게 만들게. 꼭 그럴게. 그러니까 나가자, 응?"
나는 정말 간절하게 애원했다. 꼭 모모가 나갔으면 좋겠다고 생각했다. 내가 어떻게 되든 상관없었다. 그냥 모모가 나갔으면 했다.
"안 돼…. 내가 나가는 걸 네가 도와준 걸 들키면…"
"제발 모모…. 난 어떻게 되든 상관없어."
"내가 살아가는 이유는 너야 모모, 너밖에 없어. 네가 없으면 나도 없을 거야. 그러니까 제발, 나가자. 나가서 조금이라도 행복해지자. 제발… "
모모는 곤란한 표정을 하고 있었다. 제발, 모모가 함께 나가줬으면 했다.
"…. 알았어, 담. 미안해. 염치없지만… 나갈 수 있게 도와줘."
"…. 응. 알았어."

급하게 청소도구함에 있는 물품용 수레를 가지고 왔다. 네 면이 막혀있어서 물을 조금 채울 수 있었다. 마침 시간이 점심시간이라서, 관리자도, 사장도 없는 듯 보였다. 수레를 접어 조용히 모모가 있는 방으로 가지고 갔다. 방에 들어가서는 문을 잠그고 모모를 수레에 태운 뒤 수레 안에 물을 조금 채웠다. 물이 없으면 금방 지치는 모모를 위해서였다.
"담… 미안해."
모모는 수레에 타는 와중에도 나에게 이런 소리를 했다. 미안한 건 오히려 나인데. 더 일찍 구해주지 못해 생긴 상처들, 제대로 먹지 못해 앙상해진 몸과 드러나는 뼈, 윤기가 없어진 머리와 꼬리. 상처받은 눈동자까지 내 잘못으로 만들어진 건데. 내가 인간이라서, 내가 질 나쁜 부류의 존재라서 그런 건데. 마음이 아렸다. 부모님을 잃고 소금이를 잃었을 때의 그 느낌이다. 공허하고 차갑고 갑갑한 느낌. 눈물이 나오려고 했다. 하지만 모모 앞에서 다시는 눈물을 보이고 싶지 않아서 올라오려고 하는 슬픔을 꾹꾹 눌러 담았다. 더 이상 울면 안 될 것 같았다.
"아냐, 미안해하지 마. 우리는 일단 나가는 데에 집중하자. 나중에 이야기 하자."
"담…"
눈물을 꾹 참고, 방문을 열고 수레를 끌고 나갔다. 인기척이 없는 이때를 틈타 어서 나가야 했다. 나는 긴 복도를 지나, 양식장 본 건물에 도달했다.
"청년, 뭐 하는 겐가?"
경비원 아저씨였다.
"아… 경비원님, 저 그게…"
경비원 아저씨는 나와 수레에 담긴 모모를 여러 차례 훑어보더니, 이내 다 알고 있다는 듯 덤덤하게 말했다.
"시간 끌어주랴?"
"…네. 부탁드려요."
경비원 아저씨는 양식장 본관 정문 앞으로 가 문을 잠갔다. 그리고 무거운 의자와 도구함들을 그 앞에 세우고, 긴 빗자루를 문고리 사이에 끼워 문이 쉽게 열리지 못하도록 했다.
“너희 둘, 서로 사랑하고 있지?”
나는 순간 당황했다. 내 마음이 그렇게 티가 났나? 다른 사람들도 알고 있으면 어떡하지?
“걱정하지 말게. 나는 워낙 오래 살았으니까. 상대를 바라보는 눈빛만으로도 대충 유추할 수 있는 거야. 다른 어리석은 이들은 하나도 모를 게야.”
경비 아저씨는 문이 잠긴 걸 확인한 뒤 돌아서서 나를 바라보며 말했다.
“사랑하는 게 있으면 그걸 필사적으로 지키려고 노력해. 그래야 후회하지 않고 살 수 있어. 설령 그게 인간이 아니더라도, 둘이 만날 수 없는 그런 사이래도. 진심으로 사랑한다면 그것만 바라보고 가. 다른 사람들이 뭐라고 하든.”
“…네.”
나는 경비 아저씨의 말을 듣고 확신이 섰다. 모모를 지키기로. 모모를 사랑하는 나를 지키기로. 부질없는 것만 같았던 사랑만 보고 나아가자고. 나는 모모를 끌고 양식장 뒷문으로 향했다. 그러던 중 뒤를 돌아 아저씨에게 마지막 인사를 하고 싶어졌다. 그래서 나는 발걸음을 멈추고 뒤를 돌아 말했다.
“아저씨, 이 은혜 죽어서도 꼭 갚겠습니다. 정말 감사합니다.”
“…그래. 나보다 먼저 죽지는 말고. 천당에 네가 오면 곧바로 정산받을 거니까.”
“네. 안녕히 계세요. 감사드려요.”
아저씨는 내가 문을 열고 나가려던 찰나까지 내 쪽을 돌아보지 않으셨다. 그러던 그때, 아저씨가 갑자기 내 쪽으로 말을 꺼내셨다.
“꼭 지켜. 사랑하는 아이를 말야. 나처럼 되지 말고.”
내가 답변할 새도 없이 문을 중력에 의해 쾅 닫혔다. 선뜻 본 아저씨의 얼굴에는 얇은 물줄기가 흘러내리고 있었다.

양식장 뒷문은 낭떠러지를 향하고 있었다. 낭떠러지의 끝에는 작은 강이 있었다. 나는 숨을 크게 들이쉬고 내쉰 뒤, 모모에게 말했다.
“모모, 내가 수레를 잡고 있을 테니 모모가 수영해서 가장 가까운 육지로 가줘. 알았지?”
“응, 알았어. 조심해.”
나는 마지막으로 심호흡을 크게 했다. 모모도 나와 똑같이 심호흡했다. 모모의 작은 등이 올라갔다가 내려가는 게 보였다. 나는 셋을 세고 뛰어내리기로 결정했다.
하나.
둘.
셋.

.
.
.
정신을 차리고 보니 우리는 어딘가에 누워있었다. 나는 육지 위에, 모모는 물 안에 들어가 나를 바라보고 있었다. 내 옆에는 물에 젖은 수레가 널브러져 있었다.
“담, 정신이 들어? 갑자기 물살이 거세져서 정신을 잃었던 것 같아.”
“…응. 괜찮아. 너는 괜찮아? 수레는?”
“난 괜찮아. 수레는 내가 건졌으니 안심해도 돼.”
안도의 한숨을 내쉬었다. 다행이다. 무사히 탈출했구나.
‘이제 우리 본격적으로 출발해야 해. 한곳에 오래 있다간 꼬리를 잡히고 말거야. 출발하자.”
나는 수레를 본모습으로 돌려놓고 물을 채운 뒤 모모를 안아 올려 수레에 넣었다. 모모는 작은 몸을 웅크려 수레 안에 쏙 들어갔다.
"…담, 있잖아."
"응, 왜?"
"그게…"
모모는 부끄러운 듯 얼굴을 붉혔다. 머뭇거리던 입이 열리며, 조심스럽게 말했다.
"너, 나 사랑해?"
"...?!"
"아까 경비원이랑 이야기할 때 그랬잖아. 사랑하는 걸 지키겠다고… 그게 혹시 나야…?"
낭패였다. 생각해 보니 모모가 날 어떻게 생각할지 한 번도 고민해 본 적이 없었다. 그저 모모의 존재에만 신경 쓰다 보니 모모의 생각은 안중에도 없었던 것 같다.
"…나중에 이야기하자. 일단 지금은 가야 할 것 같아."
모모는 고개를 작게 끄덕인 뒤, 대답은 하지 않았다. 나는 모모를 담은 수레를 끌고 오르막길을 오르기 시작했다.
수레를 끌고 가는 것은 매우 어려웠다. 특히, 이곳의 지리를 모르는 사람이다 보니 어디가 어디인지 잘 구별이 되지 않았다. 그래서 일단은 마을이 있는 곳을 찾아가기로 했다. 꽤 먼 곳까지 떠내려 온 것인지, 아파트와 주택 같은 현대식 건물보다는 낡은 집들이 더 찾아보기 쉬운 곳이었다. 나는 이곳의 위치를 알기 위해 핸드폰을 꺼냈다. 물에 젖고 어딘가에 부딪혀서 깨진 탓에 화면이 지지직거리면서 잘 나오지 않았다. 현재 위치를 추적해 보니, 양식장이 있던 곳과 꽤 멀리 떨어진 농촌이었다. 오히려 다행이라고 생각했다. 이 정도로 먼 곳이라면 사장이 쉽게 찾을 수 없겠지. 어디로 가는지는 몰랐지만, 오히려 안심이 되었다.
우리는 도로와 초원을 번갈아가며 걸었다. 쉴 새 없이 걸었다. 배고픔도 잊은 채 말이다. 배가 고플 때면 도로 가장자리에 자리한 노점

상이나 트럭에서 먹거리를 사 나눠 먹곤 했다. 모모는 특히 복숭아를 좋아했다. 말랑말랑한 게 마치 해삼 같은데 달고 맛있다고 좋아했다. 모모가 좋아하는 모습을 보니 행복했다. 내 몫의 복숭아까지 다 먹고 난 모모는 배가 불러 노곤한지 금세 잠들었다. 아기가 앉아있는 유모차를 끄는 사람이 된 기분이었다. 고르지 않은 길 때문에 조금씩 흔들리는 수레였음에도 모모는 곤히 잠들어있었다. 오랜만에 보는 모모의 편안해 보이는 표정이었다. 기분이 좋으면서도 마음 한편이 시큰했다.
여관을 찾는 일은 도통 쉬운 일이 아니었다. 바다에서 먼 곳일수록 여관 같은 숙박업소의 수는 적었고, 그마저도 인어와 다니는 내가 이상하게 보였는지 받아주는 곳도 없었다. 그렇게 며칠을 보냈는지 모르겠다. 가는 마을마다 천대받으며 쫓겨났다. 어떤 사람들은 돌이나 소금을 던지기도 하고, 모모가 앉아 있는 수레를 발로 걷어차기도 했다. 화가 나서 참을 수 없었다. 하지만 내가 화를 내려고 할 때마다 모모는 사람 좋은 웃음으로
“그만 가자.”
라고 말했다. 할 수 없이 떠난 마을만 5곳. 팔과 발은 아리고, 배는 너무나도 고팠다. 눈은 뜨기 힘들 정도로 피곤했고, 발걸음 하나하나 떼어내기 어려웠다. 그래도 바다와 가까워질수록 짭짤한 소금 냄새가 코에 은은하게 맴돌았다. 모모는 오랜만에 맡아보는 냄새라며 좋아했다. 나도 소금이 생각이 나서 너무 행복했다. 아직 슬픔이 완벽하게 가시지는 않았는지 눈물이 맺히긴 했지만.

6번째로 도착한 마을은 바다에 가깝고, 작고 낡은 마을이었다. 동네

를 한 바퀴 돌아보니, 젊은 사람은 없고 죄다 중장년층이나 노인 분들만 계셨다. 다행히 인어에 관한 안 좋은 인식은 퍼지지 않았는지, 모모를 본 할머니들은 모모의 꼬리를 칭찬하며 반겨주셨다. 우리는 그 마을에서 다행히도 묵을 곳을 찾을 수 있었다. 낡고 작은 여관이었지만, 목욕탕도 있었고 바다를 볼 수 있는 마당도 있었다. 여관 주인 할머니께서는 숙박비를 내면 의식주를 다 해결해 주신다고 했다. 그래서 지갑에 남아있던 돈 전액을 지불했다. 만약 양식장 사람들이 찾아온다면 모모를 바다로 돌려보내고 죽어버리면 되겠다고 생각했다. 모모랑 처음으로 한 식탁에서 먹는 저녁 식사였다. 애초에 부모님이 돌아가신 이후로는 누군가와 같은 탁자에서 먹어본 적이 단 한 번도 없다. 소금이마저 죽었을 때는 식탁에 앉아 울기도 했는데, 이제는 울지 않아도 된다. 내 옆에 누군가가 드디어 있다는 생각에 눈물이 핑 돌았다. 모모가 보지 못하도록 재빠르게 눈물을 훔쳤다.

모모와 먹은 첫 식사는 각종 나물과 고등어였다, 모모는 처음 먹어보는 음식임에도 맛있게 잘 먹었다. 나도 모모가 잘 먹는 모습을 보니 행복했다. 텅 빈 가슴 속이 조금씩 채워지는 것 같았다. 식사가 끝나고는 샤워를 해야 했다. 나는 먼저 차가운 물을 받아놓은 두 모모를 그곳에 앉혔다. 양식장에서 있던 탱크보다 좁았지만, 모모는 굉장히 기뻐해 주었다.

"담, 잠깐 할 이야기가 있는데."

모모를 욕실에 두고 나오는 길, 모모는 나를 불러 세웠다.

"응, 모모. 무슨 일인데?

모모는 잠시 머뭇거리더니 말을 꺼냈다.

"우리 저번에 하려던 이야기 있잖아…. 그거 다시 해주면 안 돼?"

모모는 수줍은 듯이 물었다. 상기된 볼이 눈에 들어왔다.

"아…."

"….그, 담은 날 좋아해?"

"…."
"응, 좋아."
"…."
"모모 너는 어때? 내가 이러는 게 불편해?"
모모는 화들짝 놀라 당황하며 말했다.
"아, 아냐! 내가 왜 그렇게 느끼겠어…. 오히려 너한테 정말 고맙지. 양식장 나오는 것도 도와주고, 여기까지 데려와 주고…"
"…내가 소금이 죽었을 때 있잖아. "
"그때부터 너한테 이런 감정이 생겼어. 나는 부모님도 없고 가족도 친구도 아무도 없어서 이런 감정을 느껴본 적이 없어. 그런데, 너랑 있으면 내 존재가 너무 잘 느껴지고, 너무 행복해. 정말 오랜만에 느끼는 기분이야."
"…."
"이런 게 사랑이야, 모모? 너는 어때, 너도 나랑 같아?"
"…담."
"너도 나랑 같은 게 아니라면 미안해. 그런데 솔직히 같으면 좋겠다고 생각하고 있어."
'너도 그렇다고 말해줘 모모.'
모모는 순간 나를 꽉 껴안았다. 축축하지만 포근해서 기분이 좋았다.
"나도 너랑 같아, 담. 어쩌면 너보다 더일 수도 있어. 확실한 건, 우린 서로한테 사랑을 느끼고 있고, 그 감정의 크기는 달라도 본질은 같아. 그러니까 불안해하지 마. "
나를 더 꽉 안는 손길이 따스했다. 기분 좋은 온기에 마음이 편안해졌다. 점점 차오르는 목욕탕 속 물은 우리를 서로에게서 떼어놓을 수단이 되지 못했다. 우리는 물이 넘치는 것도 모른 채, 서로를 껴안고 눈물을 흘릴 뿐이었다. 차가운 물이 내 바지를 적시고, 셔츠 끝단을 적셨다. 한기가 몸을 타고 올라왔다. 그럼에도 나는 계속 모모를 안고 있었다. 모모가 너무나도 따듯했기 때문에.
“모모, 내가 꼭 지켜줄게.”
나는 말했다. 눈물이 흘러 울먹이는 소리가 함께 섞여 나왔다. 모모는 내 얼굴을 바라보며 말했다.
“응. 나도 너랑 함께 있을게. 꼭.”
우리는 서로 머리를 맞대고 웃었다. 한쪽만의 맹세가 아닌 우리 둘의 맹세였다. ‘꼭 지켜주겠다는 말’, ‘함께 있겠다’는 말은 우리의 고막 속으로 들어가 뇌 속 기억 상자 한편의 제목이 되었다.

씻기를 마치고 여관 안쪽을 돌아다녀 보는데, 작은 문을 하나 발견했다. 그 문을 여니, 바다를 향해 부는 바람이 느껴졌다. 바람에는 약간의 소금기가 여려 있었고, 내 눈은 황홀하고 빛나는 바다의 풍경을 담기 시작했다. 숨이 멎는 기분이었다. 노을을 머금은 주황빛 바다와 햇빛에 압도당하는 기분이었다. 풍경을 바라보며 한참을 감탄하고 있던 그때, 여관 주인 할머니께서 내 뒤에 나타나 말씀하셨다.
“그 인어 친구에게는 보여주지 않는 거니?”
“아, 아뇨. 너무 예뻐서… 잠시 넋을 놓고 있었네요. 해가 지기 전에 데리고 와서 보여주려구요.”
할머니는 인자한 웃음을 지어 보이시고는 나와 같은 바다의 방향을 바라보며 말을 이어가셨다.
“너희 둘, 바라보면 볼수록 사랑스러워. 꼭 내가 젊었을 때를 보는 것 같아.”
“할머니께서 젊으셨을 때요?”

“너무 오래전 일이라 기억도 안 나지. 그런데, 나랑 그 이랑 서로 정말 사랑했다는 건 기억이 나네. 누가 뭐라고 해도 서로를 지키려고 안간힘 썼던 거, 그리고 서로를 사랑하는 자신을 사랑했던 것도.”
할머니는 우수에 찬 눈으로 말씀하셨다. 옛 첫사랑을 떠올리는 듯 보였다. 눈빛이 기뻐 보이기도, 슬퍼 보이기도 했다.
“청년은 목숨을 바쳐서라도 지키고 싶은 것이 있나? 아, 그 인어 친구겠지?”
내 쪽을 돌아보신 할머니는 다시 인자한 얼굴을 하고 계셨다. 그 눈은 저 너머를 꿰뚫고 있는 눈 같았다.
“네, 맞아요. 모모…”
“서로에게 목숨을 건다는 건 낭만적인 일이지. 다들 청춘을 겪으면 한 번쯤 해보는 생각이니까.”
“근데 정말 죽을 각오를 해야 해. 지금 행복하다는 건 조금 뒤에 큰 태풍이 몰려올 것이라는 징조거든.”
“…그래야죠. 반드시.”
나는 노을을 보며 맹세했다. 정말 내 목숨 하나 바쳐서라도 모모를 살리겠다고. 꼭 바다에
데려다주겠다고.
할머니는 방으로 돌아가시면서 마지막으로 이런 말을 해주셨다.
“고민하고 있는 게 있으면 지금 당장 해줘. 바로 하지 않으면 늦으니까. 꼭 나처럼 말이야…”
뒤 돌아가시는 할머니의 모습은 어딘가 쓸쓸해 보였다.

나는 모모를 창문과 가장 가까운 방으로 옮겨주었다. 노을은 곧 질 것 같았고, 나는 그때 창문을 열어 모모에게 노을을 보여주었다.
“우와, 정말 멋져!! 바닷속이 아닌 곳에서 보는 노을은 처음이야.”
모모는 노을을 처음 보는 아이처럼 순수하게 웃었다. 역시, 웃는 모습이 꼭 햇살 같았다. 이윽고 모모는 내 쪽으로 돌아보며, 예쁘게 웃었다. 새삼스레 느끼는 거지만, 모모의 미소는 언제나 밝고 아름답다. 마음속 공백이 채워지는 것 같은 기분이다.
“담, 정말 고마워. 너무 많이 말했지만, 고마워.”
‘몇 번이고 말해줘 모모. 네가 말하는 것들은 항상 새로우니까.”
모모와 나는 침대에 걸터앉아 고요하게 시간을 보냈다. 아무 말도, 아무것도 하지 않았다. 그냥 서로의 존재를 느끼면서, 서로가 옆에 있다는 걸 기억하면서 노을이 지는 것을 바라봤다. 노을은 야속하게도 너무나 빨리 져버렸다. 그럼에도 우리는 밤바다를 아주 오랫동안, 눈이 감길 때까지 아주 천천히 지켜보았다.

그다음 날이었다. 그날은 마을에서 축제가 열리는 날이었다. 아침부터 어르신들은 음식을 차리고 집을 청소하느라 바빠 보이셨다. 여관 주인 할머니께서도 새벽에 깨셔서 요리를 하고 계셨다. 나는 모모가 잠들고 난 뒤 욕조에 데려다 놓은 이후로 모모를 보지 못했다. 그래서 일어나자마자 욕실에 들어가 모모를 만났다. 모모는 아직 누가 데려가도 모를 정도로 깊게 자고 있었다. 나는 욕조 옆에 앉아 모모의 잠든 얼굴을 바라보았다. 너무 사랑스럽고, 보기만 해도 행복했다. 꼭 이대로 죽어도 괜찮을 것처럼. 내가 이런저런 생각을 하고 있을 때 드디어 모모가 잠에서 깼다. 모모는 손으로 눈을 비비면서 내게 인사를 건넸다.
“언제부터 있었어…? 좋은 아침…”
자고 일어나 약간 잠긴 목소리는 정말 귀여웠다. 나는 모모를 바라보며 말했다.
“방금 왔어. 밖에 나갈래? 오늘은 무슨 날인가 봐. 다들 새벽부터 일어나서 음식을 하고 계셔.”
모모가 고개를 끄덕이는 것을 보고 나는 수레를 가져와 모모를 안아 옮겼다. 그리고 밝은 복도를 따라, 할머니들이 계시는 밖으로 나갔다.
“모모, 담. 일어났구나. 잘 잤니?”
“네, 덕분에요. 오늘은 축제 하는 거예요?’
“우와, 저도 도와드리고 싶어요!!”
‘축제’라는 단어를 들은 모모는 들뜬 어린아이처럼 발랄하게 소리쳤다. 할머니는 모모가 귀엽다는 듯 바라보며 말하셨다.
“마음만이라도 고맙구나. 일단 아침부터 먹어라.”
우리는 할머니께서 차려주신 식탁에 가 앉았다. 식탁 위에는 갖가지 과일들과 채소가 놓여있었다. 그중에는 모모가 좋아하는 복숭아도 있었다.
“우와, 복숭아다!! 할머니, 저 칼 좀 주세요.”
모모는 언제 그렇게 익숙해졌는지 과도를 들고 복숭아를 사각사각 깎아 먹었다. 혼자서 하는 모습이 사랑스러웠다. 우리는 밥을 배부르게 먹고, 밖으로 나갔다. 밖은 시장통처럼 시끄러웠다. 우리는 마을 곳곳을 돌아다니며, 맛있는 걸 얻어먹고 청소도 도와드렸다. 어떤 할머니께서는 집에서 직접 만드신 떡을 주셨다. 우리는 감사하다며 청소하는 걸 도와드렸고, 내가 청소를 마저 끝내는 동안 모모는 떡을 우물우물 먹고 있었다. 할머니들은 모모에게 귀엽다며 칭찬을 해주셨다. 또 다른 할머니께서는 장식품을 팔고 계셨는데, 우리가 먹던 떡을 나눠드리자 목걸이를 하나씩 주셨다. 모모와 똑같은 목걸이였다. 색은 투명했지만, 맑게 빛나는 게 모모의 눈동자 같았다. 하루 종일 마을을 돌아다니면서, 즐거운 시간을 보냈다. 우리가 집에 들어온 건 그날 밤이었다. 우리는 선선한 달빛을 받으며 여관 안으로 들어왔다. 마을을 몇 바퀴를 돌았는지 다리가 아팠고, 땀은 줄줄 흘렀다. 우리는 여관에 들어가 씻고 나온 뒤, 마루에 앉아 있었다. 그때, 할머니께서 복숭아를 깎아 가져다주시며 우리 옆에 앉았다.

"그래, 다들 재미있게 놀았니?"

"네, 맛있는 것도 많이 먹고, 이 목걸이도 받았어요!"

모모가 목걸이를 보이며 말했다.

"오호, 둘이 똑같은 목걸이로구나. 사람이 사랑하는 사람과 똑같은 물건을 가지고 있으면 말이다. 그 물건을 버리지 않는 한 그들의 사랑하는 감정은 그 물건에 담겨 절대 잊을 수 없다고 해. 좋은 걸 받았구나."

할머니께서는 흐뭇하신 듯 미소를 지으며 말하셨다.

"우와, 할머니가 하시는 이야기는 알 수 없는 게 많지만, 그래서 좋아요!!"

모모의 말에 할머니는 기뻐하시며, 자리에서 일어나셨다.

"그래. 지금이라도 조금 자거라. 정말 힘들 테니 말이다."

할머니는 그렇게 말씀하시고는 방으로 들어가셨다. 나도, 모모도 그 말이 무슨 뜻인지는 모른 채 조금 이른 시간이지만 잠자리에 들었다. 나는 침대에서, 모모는 욕조에서 곤히 잠을 청했다. 하지만 그 평화는 오래가지 못했다.

새벽녘이었다. 누군가 여관 문을 세게 두드리는 소리가 들렸다. 나는 깜짝 놀라 곧장 모모가 있는 욕실로 뛰어갔다. 모모도 그 소리에 깼는지 놀란 듯 보였다.

"담, 무슨 일이야. 괜찮아?"

"난 괜찮아. 무슨 일이지?"

둘 다 무슨 일인지 알 수 없었다. 그러나, 마음속 깊은 곳에서는 꼭 불길한 일이 일어날 것만 같은 기분이 들었다.

우리는 서둘러 거실로 나갔다. 그런데 여관 주인 할머니가 계시지 않았다, 그래서 우리는 문을 열고 밖으로 나갔다. 밖을 나가보니, 여관 앞에 할머니 할아버지들께서 모여 계셨다.

"무슨 일 있어요? 왜 다들 모여계세요?"

"다들 못 들었니? 이웃 마을들에 어떤 깡패 조직들이 멋대로 들어와서 행패를 부린다는구나. 비싼 인어를 찾는다면서…"

역시 그 불길한 예감이 맞았다. 분명 양식장 사람들일 거다. 모모와 나는 서로의 얼굴을 바라보았다. 모모는 두려움에 떨고 있었다. 눈빛에는 공포가 가득했고, 몸을 떨리고 있었다. 나는 모모의 어깨에 손을 올려 모모를 진정시키려 했다. 나는 고민에 빠졌다. 처음부터 모모를 바다에 데려다주기로 마음먹고 온 곳인데, 이제 와서 추한 욕심이 생겼다. 모모를 더 보고 싶었다. 모모를 떠나보내고 싶지 않았다. 모모가 날 떠나지 않았으면 좋겠다. 하지만 그건 있을 수 없는 일이다. 내 욕심으로 인해 모모는 이런 비극에 처하게 되었고, 내가 스스로 해결해야 하니까. 모모를 더 행복하게 하려면, 모모에게 진 잘못을 내가 온전히 받아내려면. 그래야만 했다.

"시간이 얼마 안 남았어. 곧 우리 마을에도 올 거야. 그러니까 자네들, 얼른 도망치게. 우리가 최대한 시간을 끌 테니까."

"할아버지…"

우리는 마지막으로 어르신들의 얼굴을 눈에 담았다. 며칠 보지 않았지만 그래도 정든 얼굴들. 떠날 생각에 눈물이 앞을 가렸다. 어르신들은 바다로 가는 산책로 입구까지 우리를 배웅해 주셨다. 우리도, 어르신들도 서로를 떠나는 게 아쉬웠는지 발걸음을 쉽게 떼지 못했다. 그러자 한 어르신께서 발걸음을 돌리시더니, 크게 소리쳤다.
“다들 어른이 되어서 뭐 하는 거야? 우리가 먼저 가야 저 애들이 마음 편하게 갈 수 있잖아. 다들 얼른 가야지.”
그 말을 들은 나머지 어르신들은 우리를 지긋이 쳐다보시더니, 이내 하나둘씩 발걸음을 떼셨다. 맨 뒤에서 따라가던 여관 주인 할머니께서는 뒤를 돌아보시더니 우리를 향해 다가오셔서 말하셨다.
“담. 모모. 꼭 행복해야 한다. 너희들이 서로 사랑하는 한 둘은 절대로 헤어지지 않을 거야. 바닷속에서 유영하다가 언젠가는 만날 거야. 꼭, 잘 지내야 한다.”
할머니는 우리를 꽉 껴안아 주셨다. 할머니의 품이 너무 포근해서 눈물이 멈추질 않았다. 맞아. 이게 부모님 품 안의 느낌이었지. 수년간 잊고 있던 느낌이 다시 살아났다. 우리는 할머니의 뒷모습이 점이 되어 모습을 감출 때까지 그 자리에서 그대로 눈물을 흘렸다.

새벽의 바다는 고요하고 차가웠지만 어딘가 포근했다. 우리 둘은 백사장 끄트머리에 도착해서, 물결이 닿을락 말락 하는 위치에 있었다. 우리는 새벽빛의 바다를 아주 오랫동안 바라보았다. 눈물은 여전히 흐르고 있었지만, 바람이 우리의 눈물을 닦아내 주고 있었다. 선뜻 무언가를 시작할 용기가 나지 않았다. 그래서 최대한 오래, 최대한 깊게 마지막 시간을 보내기로 했다. 나는 주머니에서 모모에게 줄 마지막 선물을 꺼냈다. 불꽃놀이 스파클러였다. 나는 스파클러에 불을 붙여 모모에게 건네주었다.

"모모, 이것 봐. 이게 불꽃놀이야."
"…응. 정말 예쁘다."
우리 둘은 한동안 아무 말도 하지 않은 채 서로의 손에 들려있는 불꽃을 바라보았다. 그리고 불꽃이
꺼져갈 때쯤, 내가 말을 꺼냈다.
"…모모."
"응, 담."
"우리, 어디부터 잘못된 걸까."
"무슨 말이야 담… 우린 잘못된 게 아니야."
"…미안해, 모모. 내가 괜히 오자고 해서. 우리가 서로 헤어지게 된 것 같아. 정말 미안해. 내가 이러면 안 됐는데…"
"…담."
"…. 미안해…"
너무나도 후회됐다. 그냥 잠자코 있을걸. 괜히 나 같은 애랑 여기까지 와서. 괜히 나 같은 애 때문에. 이런 비참하고 초라한 신세가 되다니. 모모에게 너무 미안하다. 그렇지만 속죄할 방법이 없었다. 나는 그저 기계적으로 존재만 하고 있는 존재일 뿐이니까.
"제발, 담…. 미안하다고 하지 말아줘. 너랑 있어서 얼마나 즐거웠는데. 네가 없었다면 나는 지금보다 더 무서운 상황에 부닥쳐서, 생사도 모르는 곳으로 팔려갔을 지도 몰라. 내가 어떻게 되었을지 모른다구."
"그거 알아, 담? 나는 너랑 만난 게 내 인생 최고의 행운이라고 생각해. 너랑 있어서 내가 혼자 있는 시간을 견딜 수 있었고, 둘도 없는 경험을 했어. 육지에 올라와서 너를 만난 게 너무 행운이었어. 오히려 나를 잡아다 준 사람들에게 고마울 정도야. 너를 만났으니까. 내가 만약 바다에서만 평화롭게 살았더라면, 지금의 나는 없었을 거야."
"행복하게 해줘서 고마워, 담. 사랑해."

눈물이 멈추지를 않았다. 모모와 영원히 함께하고 싶었다. 모모와 어디든 같이 가고 싶었다. 그런데, 지금은 헤어져야 한다. 너무 무섭다. 모모가 없는 세상. 상상하고 싶지도 않다. 모모가 없다면 내가 살아가야 할 이유가 없는데, 모모 없이는 살 수가 없는데. 뜨거운 눈물은 멈출 기미를 보이지 않았다.
"모모, 미안해. 그런데 나, 너무 무서워. 네가 없는 세상은 살고 싶지 않아. 네가 내 삶의 이유였어.
너만이 날 살게 하는 존재였어. 그런데 지금은…"
"담, 내 말 잘 들어—"
모모는 정신없이 울고 있는 내 얼굴을 두 손으로 잡아 자신의 눈과 눈높이를 맞추었다.
"할머니가 말해주신 것 기억나? 너랑 나랑 가지고 있는 이 목걸이. 이것만 가지고 있으면 우린 절대 안 헤어져. 정말로. 우린 이어져 있으니까."
모모는 눈물이 맺혀있지만 단호한 눈으로 내게 말했다. 나는 고개를 끄덕였다.
"알았어. 꼭 가지고 있을게."
"담, 정말 사랑해. 나랑 있어 줘서 고마워. 너랑 있어서 하루하루가 즐거웠고, 사장한테 맞을 때도 네 생각하면서 버틸 수 있었어. 정말 고마워. 넌 내 처음이자 마지막 사랑이야. 진심으로 좋아했어."
"모모… 나도. 나도 정말 좋아했어. 내 삶의 이유가 되어줘서 고마워. 날 살게 해줘서 고마워. 내가 힘들 때 곁에 있어 줘서 내가 여기 있는 거야. 정말 고마워. 사랑해."
우리는 서로를 꼭 껴안고 있었다. 아주 한참 동안. 새벽녘이 서서히 걷히고 해가 떠오르기 직전까지. 해가 지평선에 반쯤 걸려있을 때였다. 나는 모모를 안고 있던 손의 힘을 살짝 풀었다. 모모는 이게 마지막 인사라는 것을 아는 듯, 나와 똑같이 행동했다. 그러고는 나를 완전히 놓아주고, 바다를 향해 몸을 돌렸다. 나는 너무 비벼 따갑고 무거운 눈을 깜빡이며, 모모의 마지막 모습을 눈에 담았다. 눈물은 더 이상 나오지 않았다.
모모는 갑자기 몸을 돌리더니, 나에게 가까이 와달라는 손짓을 했다. 나는 모모가 기어간 곳 까지 걸어갔다. 그 곳은 파도가 닿는 곳이어서, 모래가 축축했다. 차가운 파도가 내 발목을 감싸 안았다. 모모와 나는 다시 가까워졌다. 이후 모모는 내 귀에 대고 작게 속삭였다.
"사랑해, 담. 언젠가 네가 죽을 때가 되면, 이 바다로 와줘. 내가 널 데리러 올게. 사랑해, 담. 너무 사랑했어."
모모는 짧게 내 볼에 입을 맞추었다. 바싹 말랐던 피부에 생기가 도는 듯한 기분이 들었다. 이후 모모는 나를 한번 꽉 안고, 다시 등을 돌려 바다 쪽으로 기어갔다. 그렇게, 모모의 꼬리부터 몸통, 팔뚝, 어깨, 목, 머리까지, 물 속으로 사라졌다. 파도가 모모를 집어삼킨 것 같았다. 모모는 이제 바다의 뱃속에 들어갔다.

나는 모모의 잔상이 남은 그곳을 한참 동안 바라보았다. 아침 햇살이 거의 다 떠 있었다. 하늘은 아직 어두웠다. 파도는 내 발목을 감싸더니, 다시 뱉고, 다시 감싸더니, 다시 뱉었다. 바람 소리는 내 고막을 긁었고, 내 옷가지들은 모모가 사라진 방향으로, 그곳을 기리는 듯 그곳을 향해 흔들리고 있었다. 목걸이 중앙의 투명한 조약돌은 햇살을 받아 빛나고 있었다. 마치, 모모의 눈동자처럼. 모모가 나를 바라봐주고 있는 것처럼. 나는 한 발 한 발 아주 천천히, 물 속으로 밀려들어 갔다. 바람이 내 육체를 밀어주는 기분이 들었다. 나도 바다에 비치는 그 빛 속으로, 바다의 뱃속으로 빨려 들어가 소화되고 싶었다. 그곳에서 하나의 분자로 모모와 하나가 되고 싶었다. 나는 아주 천천히 바닷속으로 들어갔다. 발바닥에 닿는 모래의 촉감이 부드러웠다. 모모의 살결을 만지는 것 같은 기분이 들었다. 내 바지, 상의, 목, 입술, 코, 눈, 그리고 마지막으로 머리카락까지 바다에 삼켜졌다. 눈을 뜨기에는 따가웠고, 숨을 들이쉬기엔
갑갑했고, 입을 열기엔 너무나도 짰다. 하지만, 무엇 때문인지 육지에서 있었던 때보다 행복했다. 모모가 있는 곳에 들어와서 그런가.
잊고 지냈던 부모님이 떠올랐다. 살아가면서 잊고 싶었던 부모님에 대한 기억. 하지만 정말 진심으로 잊고 싶은 건 아니었다. 상기하면 할수록 괴로워져서 삼켰는데, 더 크고 고통스러운 것이 역류할 것 같아서 계속 삼켰다. 목구멍을 통과하지 못할 정도로 커질 때까지.
'엄마, 아빠. 나 사랑했어요. 당신들만큼 사랑했던 존재가 있었어요. 이제 전 그곳으로 갈 거예요. 내가 사랑했던 존재가 있는 곳으로. 당신들이 있는 곳으로 말이에요.'
소금이의 존재가 떠올랐다. 날 살게 해준 첫 번째 존재. 내 삶의 이유를 부여해 줬던 존재.
'소금아, 너랑 가고 싶었던 바다, 너랑은 못 갔지만, 내가 사랑하는 사람이랑 같이 갔어. 정말 예쁘더라. 바다에 있는 내내 네 생각 못해서 미안해. 하지만, 넌 나랑 항상 같이 있어 줬으니까. 너도 봤지? 내가 가면, 그때 다시 한번 가보자. 고마워, 소금아."
모모가 떠올랐다.
'헤어진 지 얼마 안 됐지만 그래도. 너를 너무 보고 싶어. 내가 바닷물을 전부 먹어버리면 너와 마주 누울 수 있겠지. 하지만 그러면 네가 말라버리는걸. 네가 건조되기 전에 내가 젖을게. 지구의 눈물을 나에게 줘. 물을 머금어 무거워진 내가 보이면, 그때 날 끌어안아 줘. 사랑해. 내 암흑 같던 삶을 밝혀준 너. 네 물결 소리가 아직도 들려. 영원히 들릴 거야. 영원히…'

THE END

REPLY TO: 波浪聲
파랑성이라는 단어 들어봤어? 귓가에 아직도 머무르는 물결 소리를 파랑성이라고 해. 물결 소리가 귓가에 계속 머무르면 어떤 기분일까? 넌 그 기분을 내게 알려줬어, 담.
너랑 있던 순간순간이 전부 소중해. 네 목소리, 네 체온, 네 눈빛 전부 다. 나에게 새로운 의미를 부여해 준 것들이야. 그거 알아? 바다에는 파도가 꼭 필요해. 파도가 없으면 바닷물은 오염되어 서서히 고통스럽게 죽어갈 거고, 해양생물들은 먹이를 찾지 못해 금세 죽어버려. 모래사장도, 바람에 흩날려 없어져 버릴 거야. 너는 내게 파도였어. 언제나 내 옆에 있어 줬지. 내가 잘 살아갈 수 있도록. 내가 즐겁게 살아갈 수 있도록 해준 너에게 얼마나 고마운지 몰라. 양식장에 잡혀 오면서 인간들은 전부 추악하고 혐오스러운 집단인 줄만 알았는데, 넌 아니더라. 너를 만나고 나서부터 세상의 인간들은 착한 사람도 정말 많다는 걸 알게 되었어. 내게 세상을 바라보는 법을 알려줘서 고마워.
우리가 가지고 있던 목걸이 있잖아. 그건 참 네 미소와 비슷해. 보면 볼수록 아름답게 보이거든. 그 목걸이 잘 가지고 있니? 나는 내 손에 쥐고 있어. 내가 바다에 들어가는 그 순간에 있잖아. 나 그 목걸이를 얼마나 꽈악 쥐고 있었는지 몰라. 그게 꼭 너인 것 같아서. 쓸려내려가면 안되니까. 네가 날 안아줬던 것만큼 세게 안았어.
담, 미안하고 고마운 게 너무 많아. 우리, 다시 만날 때까지만 미안했던 건 생각하지 말자. 우리가 서로 고마웠던 거, 서로 사랑했다는 것만 기억하자.
다시 만나는 그때, 네가 해준 것보다 더 세게 안아줄게. 부서지지 않을 정도로만. 사랑했어, 담.
-모모로부터.

도서명 波浪聲

발 행 | 2024년 7월 29일
저 자 | 신서영
펴낸이 | 한건희
펴낸곳 | 주식회사 부크크
출판사등록 | 2014.07.15.(제2014-16호)
주 소 | 서울특별시 금천구 가산디지털1로 119 SK트윈타워 A동 305호
전 화 | 1670-8316
이메일 | info@bookk.co.kr

ISBN | 979-11-410-9797-4

www.bookk.co.kr